DIE BRIEFE PACHOMS

TEXTUS PATRISTICI ET LITURGICI
quos edidit Institutum Liturgicum Ratisbonense
Fasc. 11

DIE BRIEFE PACHOMS

Griechischer Text
der Handschrift W. 145
der Chester Beatty Library
eingeleitet und herausgegeben

von

Hans Quecke

Anhang:
Die koptischen Fragmente und
Zitate der Pachombriefe

KOMMISSIONS-VERLAG
FRIEDRICH PUSTET REGENSBURG

Mit kirchlicher Druckerlaubnis

Gedruckt mit Unterstützung
der Deutschen Forschungsgemeinschaft

© 1975 by Friedrich Pustet Regensburg
Gesamtherstellung Friedrich Pustet
Printed in Germany
ISBN 3-7917-0338-2 (Gesamtreihe)
ISBN 3-7917-0454-0

Inhaltsverzeichnis

Ausgewählte Bibliographie
(Quellen und Literatur)

Amélineau, E., Œuvres de Schenoudi. 2 Bände zu je 3 Liefe-
rungen (Paris 1907/14)
Bacht, H., Ein verkanntes Fragment der koptischen Pachomius-
Regel, in Le Muséon 75 (1962) 5–18.
Bacht, H., Das Vermächtnis des Ursprungs. Studien zum frühen
Mönchtum I (Studien zur Theologie des geistlichen Lebens 5;
Würzburg 1972).
Boon, A., Pachomiana latina. Règle et épîtres de S. Pachôme,
épître de S. Théodore et »Liber« de S. Orsiesius. Texte latin
de S. Jérôme (Bibliothèque de la Revue d'histoire ecclésias-
tique 7; Löwen 1932).
Butler, C., The Lausiac History of Palladius II (Texts and Studies
6,2; Cambridge 1904).
Chassinat, E., Le quatrième livre des entretiens et épîtres de
Chenouti (Mémoires publiés par les membres de l'Institut fran-
çais d'Archéologie orientale du Caire 23, Kairo 1911).
Demotische und Koptische Texte = Papyrologica Coloniensia 2
(Wissenschaftliche Abhandlungen der Arbeitsgemeinschaft für
Forschung des Landes Nordrhein-Westfalens; Köln und Op-
laden 1968).
Halkin, F., Sancti Pachomii vitae graecae (Subsidia Hagiogra-
phica 19; Brüssel 1932).
Lefort, L. Th., Œuvres de S. Pachôme et de ses disciples (Corpus
Scriptorum Christianorum Orientalium 159, script. copt. 23;
Löwen 1956).
Leipoldt, I. et W. E. Crum, Sinuthii archimandritae vitae et
opera omnia, Band 3 und 4 (Corpus Script. Christ. Orient.,
script. copt., ser. sec., tom. 4–5; Paris 1908 und 1913).
Quecke, H., Die Briefe Pachoms, in 18. Deutscher Orientalisten-
tag vom 1. bis 5. Oktober 1972 in Lübeck. Vorträge. Heraus-
gegeben von Wolfgang Voigt = Zeitschrift der Deutschen
Morgenländischen Gesellschaft, Supplement 2 (Wiesbaden
1974) 96–108.
Quecke, H., Briefe Pachoms in koptischer Sprache. Neue deutsche

Übersetzung, in Zetesis. Album Amicorum ... aangeboden aan E. de Strijcker (Antwerpen/Utrecht 1973) 655–663. (Abgekürzt: Briefe Pachoms koptisch).

Quecke, H., Ein neues Fragment der Pachombriefe in koptischer Sprache, in Orientalia N. S. 43 (1974) 66–82.

Quecke, H., Ein Pachomiuszitat bei Schenute, in Probleme der koptischen Literatur. Bearbeitet von Peter Nagel (Wissenschaftliche Beiträge der Martin-Luther-Universität Halle-Wittenberg 1968/1 [K 2]) 155–171.

Richardson, E. C., Hieronymus, Liber de viris inlustribus. Gennadius, Liber de viris inlustribus (Texte und Untersuchungen 14,1a; Leipzig 1896).

Veilleux, A., La liturgie dans le cénobitisme pachômien au quatrième siècle (Studia Anselmiana 57; Rom 1968).

Verbesserungen:

Seite 83, Zeile 20 einzufügen: Auch hinter dem »Buchstaben« H von Zeile 23 steht ein Schrägstrich.

Seite 100: Der erste Buchstabe von Zeile 36 des Textes ist wohl eher ein ϰ als ein χ (vgl. den Apparat).

Zu Beginn des 5. Jahrhunderts hat Hieronymus in Betlehem ein Dossier von Schriften Pachoms und dessen Schüler ins Lateinische übersetzt. Von Pachom selbst befanden sich darunter die vier Gruppen von Klosterregeln[1] und eine Sammlung von Briefen[2]. Daß diese Schriften einerseits ursprünglich in koptischer Sprache abgefaßt gewesen sein, andererseits aber damals schon in griechischer Übersetzung vorgelegen haben müssen, ist nicht nur unmittelbar evident, sondern wird von Hieronymus in der Präfatio zu seiner Übersetzung auch ausdrücklich bestätigt. Während nun von den Klosterregeln schon länger Fragmente des koptischen Originals und Exzerpte der griechischen Übersetzung bekannt sind, mußte der koptische und griechische Text der Briefe bis vor kurzem als verschollen gelten.

Es gehört zu den eigenartigen Zufällen, daß in ganz kurzem zeitlichem Abstand verschiedene Fragmente des koptischen und eine Handschrift mit dem griechischen Text der Briefe zum Vorschein gekommen sind. Die koptischen Fragmente

---

[1] So die traditionelle Zuweisung entsprechend den Titeln in der lateinischen Übersetzung. Es werden immer wieder Zweifel laut, ob tatsächlich alle Regeltexte im eigentlichen Sinn von Pachom stammen. Vgl. etwa Bacht, Verkanntes Fragment 15; Veilleux, Liturgie 122–132; M. M. Van Molle, Supplément de la Vie spirituelle 86 (1968) 108–127 und 394–424. Siehe auch unten S. 45.

[2] Herkömmlicherweise werden elf Briefe gezählt. In Wirklichkeit sind es aber 13. In den Nummern 9 und 11 der herkömmlichen Texteinteilung sind je zwei Briefe zusammengezogen. Das läßt sich einerseits aus den Texten selbst erkennen, andererseits wird es durch die neuen Textzeugen (koptisch und griechisch) zusätzlich unterstrichen; vgl. z. B. Quecke, Neues Fragment 69. Um keine Verwirrung zu stiften, behalte ich die überkommene Zählung bei und bezeichne die in den Nummern 9 und 11 enthaltenen Briefe mit kleinen lateinischen Buchstaben, also 9a, 9b, 11a und 11b. Brief 9a endet mit »... est O« (98,6 Boon), Brief 9b beginnt ebenda mit »AΩ ...«; Brief 11a endet mit »... parabolam T« (100,18 Boon), Brief 11b beginnt ebenda mit »Vidimus ...«

sind schon gesondert veröffentlicht, werden aber auch unten im Anhang wieder abgedruckt. Eigentliches Ziel dieser Ausgabe ist es aber, den unveröffentlichten griechischen Text bekannt zu machen. Dabei bringt die Einleitung nicht nur die Daten der Handschrift, sondern skizziert darüber hinaus auch die mit den Briefen Pachoms gegebenen Probleme.

Alttestamentliche Stellen (natürlich auch die Psalmen) werden grundsätzlich nach der LXX-Zählung zitiert, näherhin nach der Rahlfsschen Ausgabe.

Auf den unten veröffentlichten griechischen Text wird mit der einfachen Angabe »Zeile ...« bzw. »Z. ...« verwiesen. Bei Verweisen auf den Text der Rückseite (= Rs.) ist zudem »Z(eile)« als entbehrlich unterdrückt.

Beim Abschluß dieser Arbeit möchte ich zunächst den Herren meinen Dank aussprechen, die so freundlich waren, die vielen Schwierigkeiten des griechischen Textes mit mir zu erörtern: P. Canart (Rom), E. de Strycker (Antwerpen), G. Garitte (Löwen), F. Halkin (Brüssel) und M. Zerwick (Rom). Ich habe aber außerdem noch von verschiedenen anderen Freunden und Kollegen nützliche Hinweise erhalten, ohne daß ich hier jeden mit Namen nennen könnte. Mein Dank gilt allen in gleicher Weise.

I.

DIE ECHTHEIT
DER PACHOM ZUGESCHRIEBENEN BRIEFE

Die äußere Bezeugung von Pachoms Urheberschaft an den ihm zugeschriebenen Briefen ist sehr gut und gibt keinerlei Anlaß, an der Echtheit der Briefe zu zweifeln. Das präziseste Zeugnis, das sich zudem zeitlich genau einordnen läßt, legt Hieronymus in der Präfatio zu seiner Übersetzung ab[1]. Hieronymus schildert darin die näheren Umstände, unter denen es zur Übersetzung der Pachom- und Pachomianerschriften kam, und spricht dabei auch ausführlich von den Briefen Pachoms (Praef. § 9; 8,19 ff. Boon). Diese Angaben von Hieronymus selbst sind das entscheidende. Die Angaben in den Titeln der einzelnen Briefe, in denen jeweils Pachom als Verfasser genannt ist, sind dagegen so gut wie wertlos, da diese Titel nicht ursprünglich sein können (vgl. unten S. 16 f.). Vermutlich noch älter — aber zeitlich nicht genauer einzuordnen — und gleichfalls sehr ausführlich ist die diesbezügliche Notiz der 1. griechischen Vita (§ 99; 66,30 ff. Halkin). Wohl kein eigenes Gewicht hat das Zeugnis des Gennadius[2]. Bei der Fortsetzung von Hieronymus' christlicher Literaturgeschichte muß er selbstverständlich dessen Übersetzungen zur Hand gehabt haben.

Weitere Zeugnisse für Pachoms Autorschaft sind die Zitationen bei koptischen Autoren. Den weitaus wichtigsten Platz

---

[1] Das Datum ergibt sich aus der Angabe des Hieronymus, er habe bei der Übertragung der Pachom- und Pachomianerschriften zum ersten Mal nach dem Tod der hl. Paula († 26. Jan. 404) wieder zur Feder gegriffen (Praef. § 1; 3,5 und 4,11 ff. Boon). Gewöhnlich datiert man die Übersetzung deshalb ins Jahr 404. Vielleicht kommt aber auch 405 noch in Frage, da Hieronymus sagt, er habe »lange« geschwiegen (4,11 Boon).

[2] Gennad., De vir. illustr., Kap. 7 (63,26 ff. Richardson).

nimmt darunter das Zitat in einer nur fragmentarisch in koptischer Sprache erhaltenen »Katechese« des Horsiese ein (Einzelheiten unten S. 46 f.), bei dem auch Pachom mit Namen genannt wird. (Die anderen Zitate nennen Pachom nicht.) Datieren läßt sich diese »Katechese« leider nicht. Aus der Art, wie Horsiese von Pachom spricht, kann man nur entnehmen, daß dieser damals schon verstorben gewesen sein muß. Daraus ergibt sich aber auch nichts Genaueres, als daß der Text in der zweiten Hälfte des 4. Jahrhunderts entstanden sein muß. Daneben bestehen vielleicht noch einige Verbindungslinien zwischen den Briefen Pachoms und dem nur lateinisch erhaltenen »Liber Orsiesii«, ohne daß eine dieser Stellen als Zitat ausgewiesen wäre. Horsiese kombiniert einmal (Kap. 6; 112,8–11 Boon) eine Stelle aus Pachoms 1. Brief (griech. Z. 14 f.; latein. 78,3 f. Boon) mit einer aus dem 5. (90,8–11 Boon):

Brief 1	Brief 5	Lib. Ors.
Et tu ut sapiens cognosce capillum capitis tui in via.	Si adtrectastis capillum capitis vestri et invenistis unguentum barbae vestrae, quod descendit usque ad fimbriam vestimentorum vestrorum, implere poteritis omnia, quae scripta sunt vobis.	Intellegamus comam capitis nostri in via, ut sit unguentum in barba nostra, ut ad ora perveniat vestimenti, ut possimus implere universa, quae scripta sunt.

Die Übereinstimmung in dem eigenartigen Ausdruck vom »Haupthaar auf dem Wege« kann ebensowenig ein Zufall sein wie die in der Verbindung von Ps 132,2 mit der Idee, »alles, was geschrieben ist, erfüllen zu können«. Als mindestes müßte man Abhängigkeit von einer gemeinsamen Quelle annehmen[1]. Man wird wohl sogar nicht ohne die Annahme literarischer Abhängigkeit auskommen. Und in der Kette der Abhängigkeiten,

---

[1] Darauf wird Bacht mit seinem Hinweis auf die »alexandrinische Bibelauslegung« hinauswollen (Vermächtnis 69, Anm. 16). Einen Beweis dafür gibt er aber nicht. Und unrichtig ist es, wenn auch in Brief 1 der 132. Psalm zitiert sein soll.

soweit wir sie verfolgen können, steht jedenfalls einer der Pachomtexte am Anfang. Ein weiterer Berührungspunkt wäre, daß sowohl in Pachoms 3. Brief (griech. Z. 40; latein. 79,18 Boon) als auch bei Horsiese (Kap. 14; 117,20 Boon) Mt 14,45 und 49 kombiniert werden, doch ist der Schluß auf literarische Abhängigkeit hier nicht zwingend. Schließlich sei vermerkt, daß die ausgefallene Schriftstelle Spr 6,3d sowohl in Pachoms 3. Brief (griech. Z. 166; latein. 85,2 Boon) als auch bei Horsiese zitiert wird[1].

Zitationen aus Pachoms Briefen finden wir auch in den Werken Schenutes (Einzelheiten unten S. 48–52). Es sind dort einmal ein Satz aus dem 1., ein anderes Mal zwei Sätze aus dem 10. Brief zitiert. Alle drei Zitate sind als solche gekennzeichnet, doch wird der Name des zitierten Autors nicht genannt. Es sieht danach aus, daß er absichtlich im Dunkeln bleiben sollte. Zeitlich genauer einzuordnen sind diese Zitationen nicht[2]. Sie müssen vom Ende des 4. oder aus der ersten Hälfte des 5. Jahrhunderts stammen.

Diese Zitationen bezeugen für eine recht frühe Zeit die Existenz eines koptischen Textes der Pachombriefe. Diese Tatsache ist geeignet, die Autorschaft Pachoms, wiewohl schon anderweitig ausreichend bezeugt, zu stützen. Wenn nämlich die Briefe wirklich von ihm sein sollen, können sie zunächst nur in koptischer Sprache abgefaßt gewesen sein, da Pachom des Griechischen nicht in ausreichendem Maße mächtig war[3].

---

[1] Lib. Ors., Kap. 9 (114,16 f. Boon). — Vgl. auch unten S. 44–46 das vom Herausgeber Lefort dem Horsiese zugewiesene Fragment, das aber nach meinem Dafürhalten vielleicht von Pachom selbst stammt.

[2] Das Zitat aus Brief 1 steht zwar in einer Ansprache, die vor einer namentlich genannten hohen Persönlichkeit, nämlich dem praeses ($\dot\eta\gamma\epsilon\mu\dot\omega\nu$) Flavian, gehalten wurde (zur Zugehörigkeit dieses Abschnitts zu dem von P. du Bourguet, Bulletin de l'Institut français d'Archéologie orientale55, 1955, 85–109, herausgegebenen Text vgl. Quecke, Pachomiuszitat 158 f.), aber ich kenne keine sonstige Bezeugung dieses Beamten (ebensowenig du Bourguet a. a. O. 95).

[3] Vgl. J. Dummer in Probleme der koptischen Literatur (Wissenschaftl. Beiträge der M.-L.-Universität Halle-Wittenberg 1968/1 [K 2]) 39, und Bulletin de la Société d'Archéologie Copte 20 (1969–70) 47–49; Quecke, Pachomiuszitat 165, Anm. 48.

Die gute Bezeugung der Pachombriefe kann auch nicht durch die Feststellung erschüttert werden, daß die Briefe zunächst vielleicht anonym zirkulierten. Die einzige griechische Handschrift, die wir heute kennen, nennt weder am Beginn noch am Ende einen Verfasser[1], noch gibt sie auch nur einem der Briefe einen Titel. Auch bei den koptischen Fragmenten trägt kein Brief einen Titel oder eine Verfasserangabe. Da diese Handschriften aber unvollständig sind (Einzelheiten unten S. 41–43), wissen wir nicht, ob Pachoms Name am Anfang genannt war. Bei den Papyrusfragmenten der Chester Beatty Library ist aber aller Wahrscheinlichkeit nach das Ende des Briefkorpus, wo Titel oder Verfasserangabe leicht hätten stehen können, erhalten. Die gewünschten Angaben fehlen indessen. Das bedeutet jedoch nicht notwendig, daß der Verfasser zunächst nicht bekannt war und die Briefe erst nachträglich und vielleicht fälschlich mit Pachom in Verbindung gebracht wurden. Bei der ersten Verbreitung der Briefe, die zweifellos im heimatlichen monastischen Milieu statthatte, kann die Verfasserangabe, da entbehrlich, weggelassen worden sein, ohne daß damit die Zuverlässigkeit der Überlieferung beeinträchtigt sein muß.

Zweifel an der Echtheit der Pachombriefe könnten einem wegen der »Geheimschrift« kommen, die in deren größerem Teil Verwendung findet. Soll man im Ernst annehmen, der Begründer des oberägyptischen Zönobitentums habe sich eines so kuriosen Mittels der Verständigung bedient?[2] Auch ließe sich gut verstehen, wie es dazu kommen konnte, daß Pachom solche Schriftstücke zugeschrieben wurden, wenn man sieht, welcher Nachdruck auf den »pneumatischen« Charakter der »Geheimschrift« gelegt wurde (Näheres unten S. 29 f.). Es wäre dann gerade die Achtung vor Pachoms hoher Sendung gewesen, die ihn mit diesen eigenartigen Dokumenten in Verbindung brachte. Die Schwierigkeiten, Pachom als Autor der Briefe mit »Geheimschrift« anzuerkennen, vergrößern sich noch durch den Umstand,

---

[1] Zur Frage der Schriftreste auf der Außenseite der Rolle siehe unten S. 79 f.

[2] Zweifel dieser Art läßt vorsichtig R. Draguet, Le Muséon 57 (1944) 116, durchblicken.

daß diese »Geheimschrift« kein einheitliches System darstellt, sondern Elemente der Verschlüsselung in ganz verschiedener Weise verwendet (ausführlich unten S. 19–26). Doch können alle derartigen Überlegungen die klaren Zeugnisse für den pachomianischen Ursprung der Briefe nicht erschüttern.

Es bliebe dann noch die Frage, ob das in lateinischer Übersetzung erhaltene Briefkorpus nicht vielleicht einige unechte Stücke enthält. Obwohl sich diese Frage zur Zeit nicht mit letzter Sicherheit beantworten läßt, ist zumindest soviel deutlich, daß sich keine Einzelabschnitte oder einzelnen Briefe als speziell verdächtig erweisen. Früher wollte es mir scheinen, als wäre Brief 11b erst nachträglich hinzugekommen[1]. Nachdem aber inzwischen auch von diesem Brief der koptische Text aufgetaucht ist, haben die Einwände stark an Gewicht verloren. Weiterhin könnte man, ausgehend von den ganz verschiedenen Typen der »Geheimschrift« (Einzelheiten unten S. 19–26), zu der Folgerung gelangen, daß Pachom bestenfalls eines dieser Systeme angewandt haben könne, die übrigen aber Nachahmungen sein müßten. Ist dies schon in sich kein durchschlagender Beweis, so wird er noch dadurch weiter entkräftet, daß wir von allen Typen der »Geheimschrift« auch koptische Zeugen besitzen. Die angenommenen Erweiterungen müßten also schon in sehr früher Zeit vorgenommen worden sein, da sonst eine so perfekte Übereinstimmung zwischen den koptischen Texten und der lateinischen Sekundärübersetzung nicht möglich wäre.

Auch die Tatsache, daß die griechische Handschrift nicht alle Briefe der lateinischen Version enthält, ist kein durchschla-

---

[1] Quecke, Briefe Pachoms 104 f. Es bestehen nämlich auffallend enge Berührungspunkte zwischen Brief 11b und Brief 1, so daß es scheinen könnte, jener sei ein Plagiat von diesem. Zu den a. a. O. genannten Gründen könnte man noch die Aussagen über den Buchstaben c hinzunehmen. Im Brief 11b heißt es: »c, denn es ist wirklich c« (101,11 Boon), im Brief 1: »c, welches ⲱ genannt wird« (so griech. Z. 17 mit einem unklaren Zeichen, vgl. unten S. 78 f.; latein. 78,6 Boon etwas abweichend, vgl. unten S. 57). Natürlich folgt aus solchen Übereinstimmungen nicht zwingend, daß der eine Text den anderen imitiert. Es kann sich auch um zusammengehörige Briefe handeln, die ein und denselben Fragepunkt oder Problemkreis betreffen.

gendes Argument gegen die Echtheit jener Briefe, von denen der griechische Text vorläufig fehlt. Dies erhellt schon daraus, daß vier dieser Briefe (Nr. 8, 9a, 9b und 11b) auch im koptischen Original vollständig oder fragmentarisch bekannt sind. Noch weniger fällt die weitere Tatsache ins Gewicht, daß in der lateinischen Übersetzung nur eine Handschrift alle 13 Briefe enthält und einige von ihnen nur in einer einzigen Handschrift bezeugt sind (vgl. unten S. 69), denn auch von den drei Briefen, die in der lateinischen Version nur in einer Handschrift überliefert sind, ist einer (Brief 8) im koptischen Original erhalten.

Wenn so auch gegen keinen Brief der lateinischen Übersetzung größere Verdachtsmomente vorliegen, so sind doch deren Titel zweifelsfrei jüngeren Datums und unecht. Im überlieferten lateinischen Text hat ja jeder Brief (die elf Nummern der lateinischen Übersetzung) seinen Titel, der zumeist Adressaten und weitere Details angibt. Da von diesen Titeln sowohl auf den koptischen Fragmenten als auch in der griechischen Handschrift jegliche Spur fehlt, können sie nicht zum ursprünglichen Text der Briefe gehört haben. Damit verlieren auch ihre inhaltlichen Angaben praktisch jeden Wert. Es ist ausgeschlossen, daß diese Angaben mit all ihren Details zunächst nur mündlich weitergegeben und erst später aufgezeichnet wurden, ihre historische Zuverlässigkeit dadurch aber nicht entscheidend gelitten hätte. Gegen die Echtheit der Titel spricht auch noch ein anderer Umstand. In der lateinischen Übersetzung steht eine Zeile (acht Buchstaben) des Buchstabenquadrats (vgl. unten S. 24 f.) am Ende von Brief 9, am Beginn von Brief 10 hingegen der vermutliche Rest dieses Buchstabenquadrats. Der Titel von Brief 10 wäre so mitten zwischen die erste und zweite Zeile des Buchstabenquadrats eingefügt worden[1]. Ob

---

[1] Man könnte allenfalls noch folgende Möglichkeit ins Auge fassen. Das Buchstabenquadrat (bzw. die dafür stehende 1. Zeile) nimmt in dem koptischen Fragment einen anderen Platz ein als in der griechischen Handschrift. Es muß also auf jeden Fall einmal umgestellt worden sein. Es ist nicht auszuschließen, daß es dabei auseinandergerissen wurde. Sehr wahrscheinlich ist das allerdings nicht. Es wäre dann ein sehr auffälliger Zufall, daß die beiden Teile des Buch-

nun die Titel noch vor der Übersetzung ins Lateinische, also
zum griechischen Text hinzugekommen sind und so schon Hieronymus vorlagen oder ob sie erst später bei der weiteren Überlieferung des lateinischen Texts fabriziert wurden, können wir
vorläufig nicht feststellen. Daß Hieronymus selbst sie erfunden
haben könnte, halte ich für ganz unwahrscheinlich[1].

---

stabenquadrats an das Ende eines Briefes und den Anfang des folgenden Briefes geraten sein sollten. Liegt da nicht die Annahme viel
näher, daß die Teile des Buchstabenquadrats noch beieinander standen, bis sie durch den Titel von Brief 10 dann getrennt wurden?

[1] Veilleux stellt fest, daß im Fall des Titels von Brief 7 Hieronymus zwar etwas glossiert hat, daß er aber die sachlichen Angaben,
die ihm sonst aus keiner Quelle bekannt waren, nicht erfunden haben
wird, also in seiner Vorlage vorgefunden haben muß (Liturgie 369).
Das Argument mag für den Fall gelten, daß schon die Vorlage des
Hieronymus die Titel enthielt. Beweisbar ist das vorläufig nicht. Und
wenn der von Hieronymus erstellte Text tatsächlich schon die Titel
enthielt, dann können diese auf die mündlichen Angaben jener Mönche zurückgehen, die sich mit der Bitte um die Übersetzung der Schriften an Hieronymus gewandt hatten. Es ist nicht einmal ganz sicher,
daß Gennadius die Titel in der uns überlieferten Form las. In seiner
ausführlichen Notiz (De vir. illustr., Kap. 7; 63,29 ff. Richardson)
lassen sich zwar die Titel der Briefe 5, 7 und 8 wiedererkennen, aber
wie kann Gennadius ausdrücklich sagen, daß je ein Brief an Syrus
und Kornelius gerichtet sei? Nach den uns überlieferten Titeln ist
Syrus der Adressat von zweien (Brief 1 [aber nicht in der guten Hs. M]
und 3), Kornelius sogar von dreien (Brief 2, 4 und 6; im letzten Fall
zusammen mit Johannes). Leider läßt sich aus Boons Apparat die
Überlieferung der Titel nicht mit letzter Sicherheit verfolgen. Wenn
ich die Angaben recht verstehe, sind in der Handschrift M die Titel
überhaupt nur Randnotizen.

II.

DIE »GEHEIMSCHRIFT« DER PACHOMBRIEFE

Das auffallendste Charakteristikum der Pachombriefe ist ein so unklares Phänomen, daß es schwerfällt, es auch nur korrekt zu benennen. Handelt es sich um eine Geheimschrift oder -sprache? Beide Bezeichnungen finden eine Stütze in den Quellen. Schon in den Briefen selbst wird der Ausdruck »spiritale alfabetum« gebraucht (Brief 6; 93,1 Boon). Von daher wird Hieronymus ihn in seine Präfatio übernommen haben (»alfabetum spiritale« § 9; 9,3 f. Boon). Andererseits verwendet Hieronymus, noch dazu in einem Atemzug, auch »lingua mystica« (9,2 Boon) und behauptet, Pachom und seine Gefährten, die der gleichen Gnade gewürdigt worden waren, hätten mithilfe dieses »geistlichen Alphabets« auch miteinander gesprochen (». . . scriberent sibi et loquerentur« 9,3 Boon). Das dem »lingua mystica« entsprechende griechische γλῶσσα κρυπτή finden wir in der 1. griechischen Vita (§ 99; 66,34 f. Halkin). Für uns ist aber zunächst nichts als der graphische Ausdruck greifbar, der darin besteht, daß Buchstaben des koptischen Alphabets[1] in einer vom Gewöhnlichen abweichenden Weise einzeln gebraucht werden[2]. Deshalb möchte ich den Ausdruck »Geheimschrift«

---

[1] Das Standardalphabet des Koptischen besteht aus den 24 Buchstaben des griechischen Alphabets, wozu noch sechs (in einigen Dialekten sieben) aus der ägyptischen (demotischen) Schrift kommen.

[2] Wenn im folgenden von den Buchstaben der pachomianischen »Geheimschrift« die Rede ist, ist das Wort »Buchstabe« zur besseren Unterscheidung immer in Anführungszeichen gesetzt. — Die lateinischen Handschriften verwenden zum Teil nicht die Zeichen des Alphabets, sondern die Buchstabennamen; vgl. Boon, Pach. lat., S. XXXI f. und den Apparat der Ausgabe. Schon Boon hatte erschlossen, daß in der ursprünglichen Übersetzung des Hieronymus wahrscheinlich die Schriftzeichen standen, nicht die Buchstabennamen. Im koptischen und griechischen Text war das jedenfalls so; darin stimmen alle unsere Zeugen überein. Vgl. auch unten S. 27.

vorziehen. Pressen darf man aber weder den einen noch den anderen Ausdruck, solange uns Mechanismus und Bedeutung dieses Phänomens unbekannt sind.

Unter diesen »Buchstaben« erscheinen überraschend wenige von den ägyptischen Zusatzzeichen des koptischen Alphabets. Wenn man einen wahllosen Gebrauch von den Buchstaben des koptischen Alphabets macht, wären bei der relativ hohen Anzahl von »Buchstaben« in den Pachombriefen weit mehr dieser ägyptischen Zusatzbuchstaben zu erwarten, als dort unter den »Buchstaben« tatsächlich vorkommen. Sicher sind überhaupt nur die wenigen Zeichen an einer einzigen Stelle in Brief 6 (nur lateinisch erhalten: 94,8 f. Boon). Hinzu kommt vielleicht noch das unklare Zeichen im griechischen Text von Brief 1, für das die lateinische Übersetzung einen normalen griechischen Buchstaben bietet (Näheres unten S. 78 f.).

Im Hinblick auf die »Geheimschrift« kann man die Pachombriefe in mehrere klar abgrenzbare Gruppen einteilen. Auf der einen Seite stehen die Briefe, die, soweit wir es feststellen können, in keiner Weise verschlüsselt sind, nämlich die Nummern 5, 7 und 8. Alle übrigen Briefe machen in irgendeiner Weise einen mysteriösen Eindruck, als verberge sich unter der Oberfläche ein Sinn, der sich nur dem Eingeweihten erschließt. Dieser Effekt resultiert aber aus der Anwendung ganz verschiedener Mittel. In den meisten Fällen erscheinen jene schon erwähnten »Buchstaben«, die offensichtlich einen anderen als ihren normalen phonetischen Wert haben, also in irgendeiner Weise als Chiffren gebraucht sind. Daneben gibt es aber zumindest einen Brief, dessen Inhalt uns nicht minder geheimnisvoll erscheint, obwohl darin die typischen »Buchstaben« der pachomianischen »Geheimschrift« gar nicht vorkommen. Es ist dies die Nummer 10[1]. Da

---

[1] Nur in der lateinischen Überlieferung erscheint am Beginn dieses Briefes eine lange Reihe von über 50 »Buchstaben« (99,9 f. Boon). Diese »Buchstaben« stehen hier aber nicht an ihrem Platz. Einmal fehlen sie im koptischen Original und in der griechischen Übersetzung, und zum anderen kennen wir zumindest ihren mutmaßlichen Ursprung. Es handelt sich aller Wahrscheinlichkeit nach um einen Rest des Buchstabenquadrats; vgl. unten S. 25.

wir von diesem Brief auch das koptische Original (in zwei Handschriften), die Zitate bei Schenute und die griechische Übersetz-
zung kennen, bestehen keinerlei textkritische Probleme. Die
verschiedenen Zeugen stimmen so weitgehend überein, daß der
Text, von Kleinigkeiten abgesehen, als gesichert gelten muß.
So ist deutlich, daß die Unverständlichkeit des Textes nicht
etwa den Wechselfällen der Textüberlieferung anzulasten ist,
die ihn verderbt hätte. Der Text macht auch philologisch keine
Schwierigkeit, sondern scheint unter dieser Rücksicht völlig
einwandfrei. Was ihn unverständlich macht, ist die eigenartige
Komposition der Elemente. Durchaus verständliche Vokabeln
erscheinen in ganz überraschenden Kombinationen und Zusam-
menhängen. Hier der erste Satz nach dem koptischen Text,
der das Gesagte sofort illustriert: »Die Oikonomoi haben einen
Frevel in ihrem Korb begangen, wobei das Schwert ihres Verderbens unter ihrem Busen war, welcher der Garten ist.«[1] Un-
verständliche Sätze vergleichbarer Art kommen in den anderen
Briefen höchstens vereinzelt vor (ein Beispiel aus Brief 1 und 5
siehe oben S. 12). Die noch verbleibenden neun Briefe enthalten
alle, wenn auch in stark wechselndem Maße, die genannten
»Buchstaben« der »Geheimschrift«. Dabei sind drei Typen der
Verwendung von »Buchstaben« zu unterscheiden, die sich ziemlich streng auf die einzelnen Briefe verteilen.

A. Einem Cento von Schriftversen[2] werden jeweils entweder am Beginn und am Ende oder nur am Ende jedes Verses
»Buchstaben« hinzugefügt. Die Zusammenstellung der Schrift-
verse gibt für uns keinen erkennbaren Sinn. Hierher gehören zwei
Briefe, die Nummern 9b und 11a. Bei Brief 9b ist jedes Schrift-

---

[1] Der gesamte Text ist so unverständlich, daß bei der Veröffent-
lichung des erst kürzlich bekannt gewordenen koptischen Textes der
Herausgeber, nicht wissend, daß er einen Brief Pachoms vor sich
hatte, darin zusammenhanglose Sätze aus einem oder mehreren Mär-
chen sah (Demot. u. Kopt. Texte 76 f.), eine Rezensentin dagegen
einen »Zauber gegen Dürre« (Orient. Lit.-Ztg. 66, 1971, 244).

[2] Nur vereinzelt kommen in den Briefen dieses Typs Sätze vor,
die sich nicht in der Schrift nachweisen lassen. Da zum Teil der koptische und griechische Text erhalten ist, sieht es zunächst nicht danach
aus, daß es sich hierbei um Textverderbnisse handelt.

zitat von »Buchstaben« umrahmt. Beispiel: »ⲃ ⲯ Die Himmel sollen sich freuen und jauchzen die Erde ⲑ.«[1] Bei Brief 11a hingegen steht jeweils ein »Buchstabe« oder auch mehrere am Ende der Verse. Beispiel: »Ein weiser Sohn erfreut seinen Vater ⲡⲣ.«[2] Vielleicht sind von den wenigen »Buchstaben« des 3. Briefes einige gleichfalls zu diesem Typ zu rechnen. Bei allen Sätzen dieses Typs wird für den nicht eingeweihten Leser der Sinn nicht verändert, wenn man die »Buchstaben« weglassen würde, wie auch der einzelne Satz dann noch grammatisch intakt bliebe.

B. Ein zweiter Typ ist dem ersten verwandt. Wir haben es wieder mit Sätzen zu tun, die für uns keinen Zusammenhang untereinander haben, von denen aber jeder für sich vollständig erscheint und verständlich ist. Diesmal handelt es sich aber nicht um Schriftzitate. Die »Buchstaben« rahmen auch hier die Sätze ein, aber in anderer Weise als beim vorigen Typ. Jedem Satz gehen »Buchstaben« voran, die »Buchstaben« am Ende sind aber mit der Formel »was ... ist« angeschlossen. Beispiel: »ⲉⲩ Die Berge hörten den Jubel der Erde, was (welche[r]?) ⲍ ist.«[3] In dieser Art ist nur Brief 9a geschrieben. Die Formel »was ...

---

[1] Koptisch unten S. 118; latein. 98,6 f. Boon. — Die richtige Zuordnung der einzelnen »Buchstaben« ist in der Boonschen Ausgabe nicht gewahrt. Die »Buchstaben« vom Ende des jeweils vorausgehenden Verses sind immer mit denen vom Beginn des folgenden Verses zu einer Buchstabengruppe zwischen den einzelnen Versen zusammengezogen. Die richtige Anordnung ist aus dem koptischen Fragment eindeutig zu erkennen. Wahrscheinlich stimmen auch die Handschriften der lateinischen Übersetzung — ich habe das nicht geprüft — wenigstens teilweise noch damit überein. In früheren Ausgaben sind nämlich die »Buchstaben« zum Teil noch richtig angeordnet, so für Brief 9a bei Migne PL 23, 97 CD (Ausg. 1845) bzw. 102 CD (Ausg. 1883). — Für Einzelbuchstaben des griechischen Alphabets und somit auch für die »Buchstaben« der pachomianischen «Geheimschrift« verwende ich — auch in der Ausgabe des griechischen Textes — koptische Typen. Nur bei wörtlichen Zitaten der Hieronymusübersetzung behalte ich die Buchstabenformen der Boonschen Ausgabe bei.

[2] Koptisch unten S. 115; griech. Rs. 43. Der lateinische Text (100,13) ist verderbt (Einfluß des vorhergehenden Zitats).

[3] Koptisch unten S. 117; latein. 97,22 Boon. Brief 9a ist griechisch nicht erhalten.

ist« kommt aber ausnahmsweise auch im 1. Brief vor[1]. Ähnlich wie beim vorigen Typ könnte man auch hier die »Buchstaben« (mitsamt der Formel am Satzschluß) weglassen, und es bliebe ein grammatisch vollständiger Satz übrig, und dieser wäre für den nicht Eingeweihten ebenso »sinnvoll« wie zuvor. Es muß noch gesagt werden, daß der grammatische Bezug der Formel am Schluß des Satzes nicht hundertprozentig klar ist. Im Koptischen kann das Relativum sich nämlich ebensogut auf den vorhergehenden Satz als ganzen wie das vorausgehende Nomen beziehen; selbst Bezug auf ein anderes Nomen des Satzes wäre nicht völlig ausgeschlossen. Die neutrischen Pronomina des Griechischen und Lateinischen zeigen dagegen, daß die alten Übersetzer den Relativsatz jeweils auf den ganzen vorhergehenden Satz bezogen haben. Sie mögen damit im Recht sein.

Wenn man bei Brief 9a und 9b vom erhaltenen koptischen Text ausgeht (auch unten S. 116 ff.) und bei der Ergänzung nach der lateinischen Übersetzung die passenden Varianten wählt, dann ergibt sich für die jeweils am Anfang und am Ende der einzelnen Sätze stehenden »Buchstaben« folgendes Bild.

Brief 9a			Brief 9b	
[ⲁⲱ]	[ⲁ]		ⲁⲱ	[ⲧ]
[ⲃⲯ]	[ⲧ]		ⲃⲯ	[ⲑ]
[ⲓⲭ]	ⲣ		ⲅⲭ	[ⲟ]
[ⲁⲫ]	ⲟ		ⲁⲫ	[ⲃⲓ]
[ⲉⲩ]	ⲍ		ⲉⲩ	ⲙⲕ
[ⲍⲧ]	[ⲛ]		ⲍⲧ	[ⲓ]
[ⲏⲥ]	ⲓ		ⲏⲥ	ⲏ
[ⲑⲣ]	[ⲏ]		ⲑⲣ	[ⲡ]
[ⲓⲡ]	[ⲓ]		[ⲡ]	[ⲓ]
[ⲕⲟ]	ⲛ		[ⲕⲟ]	ⲟ
ⲁⲍ	[ⲍ]		[ⲁⲍ]	ⲙ
ⲙⲛ	[ⲟ]		[ⲙⲛ]	ⲑⲣ

[1] Griech. Z. 6; latein. 77,14 Boon. Ebenso griech. Z. 22; latein. 78,9 Boon. Vgl. auch griech. Z. 11; latein. 78,1 Boon. Die Formel lautet koptisch ⲉⲧⲉ ..., griechisch ὅ ἐστιν ... und lateinisch »quod est ...«

Die Übersicht zeigt unverkennbar, daß in beiden Briefen die »Buchstaben« am Anfang der Sätze nichts anderes sind als das griechische Alphabet, wobei jeweils die Buchstaben der zweiten Hälfte rücklaufend neben die der ersten Hälfte gestellt sind. Die minimalen Abweichungen – 3. Satz in Brief 9a und 9. in 9b – gehen zweifellos zu Lasten der Abschreiber des lateinischen Textes. Über die »Buchstaben« am Ende der Sätze läßt sich vorerst nur sagen, daß diese bei Brief 9a die des Buchstabenquadrats sind (siehe gleich unten S. 24 f.). Die ersten acht »Buchstaben« sind die Buchstaben der zweiten Zeile des Buchstabenquadrats (also wie in der lateinischen Übersetzung), jedoch in umgekehrter Reihenfolge.

C. Im Gegensatz zu den bisher besprochenen Typen der »Geheimschrift« enthalten alle noch verbleibenden Briefe »Buchstaben«, die in ihren Sätzen grammatische Funktionen haben und die man deshalb nicht streichen könnte, ohne die Sätze im Kern zu verstümmeln. Als Beispiel diene der von Schenute zitierte Satz aus Brief 1, von dem wir alle drei Versionen kennen: »Singe dem ω! Laß nicht das ω dir singen!«[1] Von den hierher gehörigen Briefen haben zwei, die Nummern 3 und 4, nur einzelne »Buchstaben« dieser Art, sind also großenteils unverschlüsselt, soweit wir das beurteilen können. Die restlichen, also die Nummern 1, 2, 6 und 11b, sind dagegen mit solchen »Buchstaben« völlig durchsetzt. Es ist nicht ganz deutlich, ob sich innerhalb dieses Typs eine echte Unterteilung ergibt. Immerhin ist augenfällig, daß in bestimmten Partien »Buchstaben« vorzugsweise (oder ausschließlich?) in einem Kontext verwendet werden, der ihnen sozusagen angemessen ist, nämlich dem des Schreibens, also beispielsweise: »Zwischen die Buchstaben ⲙ︤ⲩ schreibe nicht ⲍ!«[2] oder »Schreibe nicht ⲗ auf ⲫ!«[3] Das Schrei-

---

[1] So nach der koptischen Fassung. Griechisch und lateinisch leicht abweichend; siehe Einzelheiten unten S. 48.
[2] Koptisch unten S. 112 (verstümmelt; kein einziger Satz dieser Art ist koptisch bisher vollständig belegt); latein. 101,1 Boon.
[3] Griech. Z. 29; latein. 79,3 Boon (ⲫ in der Hs. M; vgl. den Apparat).

ben von »Buchstaben« fehlt in keinem Brief dieses Typs, wenn die »Buchstaben« darin gehäuft vorkommen, aber in drei von diesen Briefen, den Nummern 2, 6 und 11b, dominieren solche Wendungen ganz deutlich, während sich in Brief 1 nur eine einzige findet (griech. Z. 19; latein. 78,7 f. Boon) und wir natürlich nicht erkennen können, ob diese wirklich von derselben Art ist.

Schließlich gibt es noch eine ganz andere Verwendung von Buchstaben im Rahmen der Pachombriefe. In den koptischen Papyrusfragmenten der Chester Beatty Library steht zwischen den Briefen 11a und 9a ein Buchstabenquadrat, acht Zeilen mit jeweils denselben acht Buchstaben, nur jedesmal um eine Position nach links verschoben (siehe unten S. 116). Dieses Buchstabenquadrat findet sich nicht als solches in der griechischen und lateinischen Übersetzung. Immerhin sind aber wenigstens seine Elemente auch dort noch faßbar. In der griechischen Handschrift stehen die fraglichen Buchstaben (die 1. Zeile des koptischen Quadrats) isoliert zwischen den Briefen 2 und 3 (Z. 31). Vielleicht ist das nur eine abgekürzte Schreibweise für das Quadrat selbst, denn man kann danach ja ohne Schwierigkeit jederzeit das vollständige Quadrat rekonstruieren. In der lateinischen Überlieferung sind die Spuren des Buchstabenquadrats zwischen den Briefen 9 und 10 auszumachen. Am Ende von Brief 9 steht ein Folge von zehn »Buchstaben« (98,15 Boon). Nach Ausweis der koptischen Überlieferung (Text unten S. 118) gehören aber nur die beiden ersten von ihnen an den Schluß von Brief 9[1]. Und die verbleibenden acht Buchstaben sind eben nichts anderes als die acht Buchstaben, die die einzelnen Zeilen des Buchstabenquadrats bilden, hier nur in der Abfolge von dessen zweiter Zeile. Im Verlauf der Überlieferung sind diese Buchstaben zwar etwas verballhornt worden, und keine einzige lateinische Handschrift hat sie alle treu bewahrt, doch ist jeder Buchstabe wenigstens in einer Handschrift an seinem richtigen

---

[1] Man beachte auch, daß sonst nirgendwo in diesem Brief eine so lange Buchstabenfolge vorkommt, während die Anzahl von zwei »Buchstaben« genau zum übrigen Text dieses Briefes paßt.

Platz zu finden[1]. Mit einiger Wahrscheinlichkeit ist aber auch noch der restliche, weitaus umfangreichere Teil des Buchstabenquadrats erhalten, wenn auch in völlig entstellter Form. Am Beginn von Brief 10 steht nämlich eine lange Reihe von über 50 Buchstaben. Diese Buchstaben fehlen nicht nur in der koptischen und griechischen Überlieferung, sondern sie fallen auch in der lateinischen Überlieferung insofern deutlich aus dem Rahmen, als sich dort nirgendwo sonst eine Buchstabenreihe von nur annähernd vergleichbarer Länge findet. Die Reihe besteht aus 51 (Hs. X), 54 (Hs. W), 55 (Hs. M) oder schließlich 56 Buchstaben (Hs. E). Da sieben Zeilen des Buchstabenquadrats eben 56 Buchstaben ergeben, wird man in dieser Buchstabenreihe am Beginn von Brief 10 der lateinischen Übersetzung ein Überbleibsel des ursprünglichen Buchstabenquadrats sehen müssen. Auffällig ist nur, daß die Buchstabenreihen in den verschiedenen Handschriften noch deutliche Verwandschaft untereinander zeigen, daß aber keine Verbindungslinien zu den Buchstaben des ursprünglichen Quadrats mehr zu ziehen sind. Das überrascht umso mehr, als sich, wie gesagt, in der einen Zeile am Schluß von Brief 9 sehr wohl die Buchstaben des ursprünglichen Quadrats wiedererkennen lassen und überhaupt die Überlieferung der »Buchstaben« relativ gut ist[2]. Die Buchstaben der zweiten Zeile des Buchstabenquadrats lassen sich auch in den »Buchstaben« von Brief 9a wiedererkennen (siehe oben S. 22 f.).

Nach all dem kann man kaum in Zweifel ziehen, daß auch das Buchstabenquadrat zum ursprünglichen Bestand der Pachombriefe gehört. Was es bedeutet, kann ich nicht sagen, doch ist es vielleicht der Punkt der pachomianischen »Geheimschrift«, der sich noch am ehesten auf kombinatorischem Wege entschleiern ließe. Es könnte darin, über die Zahlenwerte der Buchstaben verschlüsselt, der Name des Autors oder sonst ein

[1] Vgl. den Apparat zur Stelle bei Boon (S. 98): H *Hss. WX*; I *alle vier Hss.*; N *Hss. ME*; Ξ *Hss. MWX*; O *alle vier Hss.*; P *alle vier Hss.*; T *Hs. E*; Δ *Hss. WX*.
[2] Es werden vor allem ähnliche Zeichen wie A, Δ und Λ oder H und N verwechselt.

für den Sinn des Ganzen wichtiger Hinweis gegeben sein[1]. Sollte es schließlich Zufall sein, daß die Zeilen des Buchstabenquadrats aus je acht Buchstaben bestehen, also soviel Buchstaben, wie die gräzisierte Form von Pachoms Namen aufweist? Gedeutet ist die pachomianische »Geheimschrift« bis heute nicht, und es wird hier auch kein neuer Versuch zu ihrer Deutung unternommen. Es soll nur auf einige Tatsachen hingewiesen werden, die es wohl verdienen, in diesem Zusammenhang berücksichtigt zu werden. Zunächst seien die Nachrichten aus der Antike auf weitere Informationen hin untersucht. Die Texte, die schon oben S. 11 als Zeugen für die Echtheit der Pachombriefe herangezogen wurden, sprechen alle auch ausdrücklich von der »Geheimschrift«, in der die Briefe abgefaßt sind. Daß Hieronymus und Gennadius praktisch übereinstimmen, kann nicht verwundern. Allerdings könnte es so scheinen, als wäre Gennadius etwas nüchterner als Hieronymus. Nur letzterer sagt ausdrücklich, daß die »Geheimschrift« auch in wechselseitiger Korrespondenz und zum mündlichen Gebrauch verwendet wurde (vgl. oben S. 11). Weiterhin sagt nur Hieronymus ausdrücklich, daß die Kenntnis der »Geheimschrift« durch einen Engel vermittelt war[2]. Deutlicher unterscheidet sich der Bericht der 1. griechischen Vita von dem des Hieronymus. Zunächst ist hier einmal keine Rede vom übernatürlichen Ursprung der »Geheim-

---

[1] Ich habe Herrn Dr. H. Satzinger, der sich BKU 387 und 388 (Ägyptische Urkunden aus den Staatl. Museen Berlin. Koptische Urkunden 3, Berlin 1968, 112–119) und Chronique d'Égypte 47 (1972) 348–350, so erfolgreich mit verwandten Phänomenen beschäftigt hat, um Hilfe gebeten. Seine Hinweise führen vorläufig über einige formale Feststellungen nicht hinaus. Nach Herrn Satzinger ist jedenfalls nicht zweifelhaft, daß der Zahl 59 eine zentrale Bedeutung zukommt. Was sie selbst wieder bedeutet, ist bisher nicht klar.

[2] Praef. § 9 (9,2 f. Boon). Diesen Punkt behauptet Gennadius vielleicht dadurch einschlußweise, daß er unmittelbar vorher berichtet hat, wie ein Engel Pachom die Mönchsregeln diktiert habe (De vir. illustr., Kap. 7; 63,25 f. Richardson). Vielleicht hat er den Engel bei der »Geheimschrift« nur deshalb nicht eigens erwähnt um dem Leser die Wiederholung dieses Motivs zu ersparen. Er sagt ausdrücklich, daß die »Geheimschrift« menschliches Verstehen übersteigt (63,28 f. Richardson).

schrift«, nur von deren »pneumatischem« Charakter (siehe gleich unten S. 29), falls man das als äquivalent ansehen will. Weiterhin werden die Adressaten nicht mit Namen genannt, wie auch durch nichts angedeutet wird, daß es sich bei ihnen um einen allerkleinsten Kreis handelt. Man muß vielmehr den Eindruck bekommen, als habe Pachom sich dieser eigenartigen Form der Korrespondenz im Verkehr mit allen Klosteroberen und regelmäßig bedient. Und noch weitere positive Informationen scheinen gegeben, wenn der Text wirklich das besagen will, was seine Worte bedeuten. Danach sieht es nämlich so aus, als hätte Pachom die Briefe nicht selbst geschrieben, sondern schreiben lassen[1]. Vor allem aber kann man beim unbefangenen Lesen den Eindruck haben, als wäre schon zu Lebzeiten Pachoms eine Sammlung der Briefe veranstaltet worden: τοῦ ἀξιωθῆναι βιβλίον γενέσθαι γραμμάτων πνευματικῶν[2]. Bei der Erläuterung der »Geheimschrift« fällt der Ausdruck »Namen von Buchstaben wie von Alpha bis O(mega)«[3]. Was bedeuten die »Buchstabennamen« hier? Sollte hier gemeint sein, daß für die geheimnisvollen »Buchstaben« im Text der Briefe nicht deren Zeichen, sondern deren Namen standen?[4] Und sollte darin ein

[1] Vielleicht ist das nur eine abkürzende Ausdrucksweise und nicht buchstäblich zu nehmen. Der Passus über die Briefe steht in jenem Kapitel, in dem der Kompilator der Vita seine Quellen vorstellt. Es sind das mündliche und schriftliche, und unter letzteren werden zunächst die Berichte über die Entstehung der Mönchsgemeinschaft und die Klostersatzungen genannt, die Pachom noch zu Lebzeiten habe aufzeichnen lassen (66,31 f. Halkin). In einem Atemzug damit werden dann auch die Briefe genannt, die somit unter die Schriften subsumiert sind, deren Aufzeichnung Pachom veranlaßte.

[2] 67,2 f. Halkin. Der Text könnte besagen: »... so daß man es für angebracht hielt, ein Buch (mit den Briefen) der pneumatischen Buchstaben zusammenstellen zu lassen.« Vgl. aber auch die Übersetzung von A.-J. Festugière: »... si bien qu'on lui demanda qu'un livre fût composé avec ces lettres spirituelles« (La première Vie grecque de saint Pachôme = Les moines d'Orient IV 2, Paris 1965, 213).

[3] 66,34 Halkin (ὀνόματα γραμμάτων, οἷον ἄλφα ἕως ὤ). Vgl. auch wieder Festugières Übersetzung: »des mots formés des lettres, comme de A à O« (a. a. O. 212)

[4] Vgl. oben S. 18, Anm. 2. Oder soll nur die Selbstverständlichkeit festgehalten sein, daß man als Uneingeweihter solche Texte letztlich

ausdrücklicher Hinweis auf die 24 Buchstaben des griechischen Alphabets liegen?[1] Oder ist das einfach eine Bezeichnung des Alphabets als solchen, die man sowohl auf das griechische als auch auf das koptische anwenden kann?

Ein indirektes Zeugnis für die pachomianische »Geheimschrift« muß man m. E. auch im 32. Kapitel der »Historia Lausiaca« sehen. Danach hat bekanntlich ein Engel Pachom die Mönchsregel auf einer ehernen Tafel überreicht, und diese enthielt auch die Bestimmung, die Mönche nach Charakter und Lebensweise in 24 Klassen einzuteilen und diese mit den Buchstaben des griechischen Alphabets zu bezeichnen (90,3 – 91,6 Butler). Es braucht nicht eigens gezeigt zu werden, daß hier keine echt pachomianische Überlieferung vorliegt[2]. Dennoch ist es für mich nicht zweifelhaft, daß in diesem Bericht eine vage Kenntnis der pachomianischen »Geheimschrift« ihren Niederschlag gefunden haben muß.

Ein letztes, wiederum indirektes Zeugnis für die pachomianische »Geheimschrift« könnte dann schließlich folgende Stelle im »Liber Orsiesii« sein: »... o duces et praepositi monasteriorum ac domorum, quibus crediti sunt homines et apud quos inveniuntur K sive I sive E sive A, ut in commune dicam, quibus crediti sunt homines singuli cum turmis suis, ...«[3], wenn die gängige Interpretation[4] richtig und die Stelle echt

---

gar nicht anders lesen kann, als wenn man sich auch der Buchstabennamen zum Aussprechen bedient? Dann könnte es schon sein, daß unser Kompilator Exemplare der Briefe wie unsere koptischen und griechischen Zeugen in Händen hatte und dennoch von den »Buchstabennamen« spricht.

[1] Man erinnere sich, wie auffallend wenig ägyptische Zusatzbuchstaben in den Briefen vorkommen (vgl. oben S. 19). So könnte wiederum jemand zwar die Briefe selbst in Händen gehabt haben, aber dennoch, falls er nicht besonders gut acht gegeben hat, meinen, die »Geheimschrift« verwende nur die Buchstaben des griechischen Alphabets.

[2] Vgl. z. B. R. Draguet, Le Muséon 57 (1944) 115 f.

[3] Kap. 7; 112,12–15 Boon. Vgl. auch die Übersetzung bei Bacht, Vermächtnis 69.

[4] Davon weicht, soweit ich sehe, nur R. Weijenberg ab (Antonianum 49, 1974, 394 f.; Rezension von Bacht, Vermächtnis). Nach ihm

ist[1]. Von wem immer dieser Passus aber auch stammen mag, wenn man ihn als Nachklang der pachomianischen »Geheimschrift« versteht, ist er sachlich eher den Angaben der »Historia Lausiaca«[2] als dem Buchstabengebrauch von Pachoms eigenen Briefen[3] an die Seite zu stellen, denn er verwendet die »Buchstaben« dann doch wohl zur Bezeichnung bestimmter Gruppen von Mönchen. Zwar wird man sich die Möglichkeit offenhalten müssen, daß die »Buchstaben« der pachomianischen »Geheimschrift« auch »bestimmte Gruppen innerhalb der Pachomiusklöster« bedeuten könnten[4], aber es scheint mir ausgeschlossen, daß sich ihr Sinn darin erschöpft haben könnte. Viele Stellen in den Briefen geben jedenfalls bei einer solchen Annahme keinen möglichen Sinn.

Im Hinblick auf die Deutung der pachomianischen »Geheimschrift« stimmen alle antiken Zeugnisse in zwei wichtigen Punkten überein. 1. Das Verständnis der »Geheimschrift« ist nur »geistlichen« (pneumatischen) Menschen möglich. 2. Von einer vertrauenerweckenden überlieferten Deutung der »Geheimschrift« ist keinerlei sichere Spur zu entdecken. Zum ersten Punkt: Im 99. Kapitel der 1. griechischen Vita wird das Epitheton »geistlich« sowohl der »Geheimsprache« (γλῶσσα κρυπτή τοῦ πνεύματος 66,34 f. Halkin) als auch den »Buchstaben« (γράμματα πνευματικά 67,2 Halkin) beigelegt. Und von den Adressaten heißt es, daß sie eben aufgrund ihrer Geistbegabung (πνευματικοὶ ὄντες 66,37 Halkin) in derselben Weise antworten

---

wären die Buchstaben hier griechische [und natürlich auch koptische] Zahlzeichen und bedeuten also »20 oder 10 oder 5 oder 1 (Mönch)«.

[1] Steidle und Schuler setzen sie in ihrer Übersetzung in eckige Klammern (Erbe und Auftrag 43, 1967, 30) und werden sie dadurch als interpoliert kennzeichnen wollen.

[2] So sieht de Vogüé hierin zweifellos zu Recht einen »point de contact du chapitre XXXII de l'Histoire lausiaque avec les écrits d'Horsièse« (Studia Monastica 13, 1971, 292 f.). Dabei bringt de Vogüé auch die »turmae« des Horsiesetextes mit den τάγματα der Historia lausiaca in Verbindung.

[3] So Bacht, Vermächtnis 71, Anm. 19.

[4] So Bacht, Vermächtnis 69, Anm. 16, zu einer Stelle im 1. Brief (78,4 Boon).

konnten. Hieronymus spricht vom »alfabetum spiritale«[1] und davon, daß sowohl Pachom als auch seine beiden Korrespondenten darin von einem Engel unterrichtet worden waren (8,19 bis 9,3 Boon). Die »Historia Lausiaca« sagt ausdrücklich, daß nur die »Geistbegabten« (πνευματικοί 91,5 f. Butler) die Bedeutung der Buchstaben kennen, mit denen die 24 Mönchsklassen bezeichnet sind.

Beim zweiten Punkt, der Frage nach überlieferten Deutungen aus antiker Zeit, scheint es zunächst so auszusehen, als lägen solche Deutungen an verschiedenen Stellen vor. Es zeigt sich aber beim näheren Hinsehen sofort, daß auch in diesen Fällen keine überlieferten Deutungen weitergegeben werden. Eine formelle Deutung von Buchstaben gibt allein die »Historia Lausiaca«, d. h. sie weist zwei Buchstaben, das ι und das ζ, zwei charakterlich bestimmten Klassen, den einfachen und den schwierigen Mönchen, zu (91,1–3 Butler). Das darin greifbar werdende Prinzip — die äußere Form der Buchstaben: gerades ι gegenüber gezacktem ζ — hat aber wirklich nichts »Pneumatisches« und steht so in eklatantem Widerspruch zu dem angegebenen geistlichen Prinzip. Daß eine so simple Deutung auf echt pachomianischer Tradition basieren könnte, wird niemand annehmen. Hier hat Palladius bzw. seine Quelle eine eigene Erklärung versucht, so gut es eben gehen wollte. Die Deutung eines »Buchstabens« der pachomianischen »Geheimschrift« finden wir dann noch bei Schenute, obwohl sie hier nicht als solche vorgelegt ist. Schenute zitiert aus dem 1. Brief »Singe dem ω! Laß nicht das ω dir singen!« (vgl. Genaueres unten S. 48) und fährt dann fort: »Ich für meinen Teil denke, daß er folgendes sagt: Singe der Welt (κόσμος), wenn du dich anschickst, sie zu verlassen (und) zu Gott (zu gehen): Weder die Liebe zum Geld noch die Gottlosigkeit, die in ihr sind, haben mich davon abhalten können, in allem fromm zu sein. Und laß nicht die Welt (κόσμος) dir singen: Ich habe dich gepackt und gefesselt mit der Liebe zum Besitz ...« Hier ist also der »Buchstabe« ω

---

[1] Den Ausdruck hat er offensichtlich aus den Briefen selbst (vgl. oben S. 18).

als »Welt« (κόσμος) gedeutet. Aber Schenute sucht nicht im mindesten den Eindruck zu erwecken, als gäbe er eine überlieferte Deutung weiter[1]. Er sagt vielmehr einigermaßen deutlich, daß er eine eigene Meinung vorträgt, was durch den Gebrauch des absoluten Personalpronomens noch unterstrichen wird[2]. Ob Schenute sich bei seiner Deutung vom Kontext des Pachombriefes[3] hat beeinflussen lassen, können wir nicht mehr feststellen[4].

Die übrigen Nachrichten aus dem Altertum geben in keiner Weise vor, die Deutung der pachomianischen »Geheimschrift« zu kennen, ja, sie lassen eher eine gewisse Verlegenheit spüren, die eine Art Eingeständnis ist, daß man die Deutung nicht kennt. Diesen Eindruck kann man jedenfalls bekommen, wenn man den Schlußparagraphen in Hieronymus' Präfatio zur Übersetzung der Pachom- und Pachomianerschriften liest (vgl. hierzu noch unten S. 67 f.). Wie immer man die Worte des Hieronymus aber auch im einzelnen deuten mag, es verlautet nichts davon, was der Sinn der Pachombriefe war, und es ist sozusagen mit Händen greifbar, daß Hieronymus von diesem Sinn nichts mitgeteilt bekommen hat. Ähnliches gilt für den Kompilator der 1. griechischen Pachomvita. Im 99. Kapitel spricht er so ausführlich über die Briefe Pachoms, aber über deren Inhalt weiß

---

[1] »Schenute scheint einen solchen [Schlüssel der Geheimschrift] noch besessen zu haben«, wie Leipoldt meint (Gesch. der kopt. Litt., in C. Brockelmann u. a., Geschichte der christlichen Litteraturen des Orients, Leipzig ²1909, S. 144, Anm. 6). Leipoldt muß dabei an das Zitat aus Pachoms 1. Brief mit der anschließenden Deutung durch Schenute denken (er macht selbst keine näheren Angaben dazu). Ich kann ihm hierin nicht folgen.

[2] In meiner Übersetzung ist ⲁⲛⲟⲕ durch »(ich) für meinen Teil« wiedergegeben.

[3] Dort lautet der folgende Satz: »Der unverschämte Aion (αἰών) freue sich mit dir! Freue du dich nicht mit dem unverschämten Aion (αἰών)!« So ist der Text aus dem Zitat bei Horsiese einerseits und aus den alten Übersetzungen andererseits wiederherzustellen; vgl. unten S. 47.

[4] Die Hoffnung, man könne in den Pachombriefen jeweils nach einem verschlüsselten Satz auch dessen Deutung finden, wäre jedenfalls trügerisch.

er nur zu berichten, daß sie der Seelenführung dienten (66,35 f. Halkin). Er, der im pachomianischen Milieu nach Nachrichten über Pachom und seine Gründung geforscht hat, läßt mit keinem Wort durchblicken, ihm seien Einzelheiten zur Deutung der »Geheimschrift« bekannt gewesen. Das spricht Bände. Auch die Stelle im 7. Kap. des »Liber Orsiesii« ist, falls sie wirklich »Buchstaben« enthält und überhaupt echt ist, nicht ergiebiger. Horsiese gebraucht dann zwar auf der einen Seite diese »Buchstaben« mit solcher Selbstverständlichkeit, daß man den Eindruck hat, es handele sich um eine ganz gewöhnliche und geläufige Sache. Andererseits kann ich mich nicht davon überzeugen, daß hier derselbe Buchstabengebrauch wie bei Pachom selbst vorliegt. So muß zumindest zweifelhaft bleiben, ob dahinter noch ein überliefertes Wissen von der Bedeutung der »Buchstaben« steht[1].

Der Schlüssel zur pachomianischen »Geheimschrift« könnte also in der Tat so gut gehütet gewesen sein, daß er wohl niemals in weiteren Kreisen, nicht einmal unter den Pachomianern selbst, bekannt war. Es ist dann nur logisch, daß man sich später auch offen eingesteht, ihn nicht zu kennen. Dafür sind die Titel in der lateinischen Übersetzung kennzeichnend. Diese Titel, die ja nicht zum ursprünglichen Text gehören (vgl. oben S. 16 f.), können allein als Zeugnis für eine spätere Zeit gelten, wenn auch offenbleiben muß, für welche Zeit genauer. Zwei dieser Titel sagen ausdrücklich, daß Pachom hier »(in) lingua abscondita« spreche (Brief 7; 97,17 Boon; Brief 11; 100,7 Boon), ein anderer, daß Pachom mit Syrus und Kornelius die Gnadengabe einer »angelicae linguae« empfangen habe (Brief 2; 78,13 f. Boon). Wieder ein andermal heißt es, daß die Brüder aufgenommen hätten, was Pachom »im Geist gesprochen hat« (Brief 10; 99,6 Boon). Schließlich wird einmal nicht nur der Ursprung dieser Sprache von einem Engel genannt, sondern formell erklärt: »cuius nos sonum audivimus, ceterum vires et sensum in-

---

[1] Man vergesse auch nicht, daß Hieronymus die in die »Geheimschrift« Eingeweihten mit Namen nennt (Praef. § 9; 8,19 f. Boon) und Horsiese nicht darunter ist.

tellegere non possumus« (Brief 1; 77,7 f. Boon). Wenn der Titel relativ alt sein sollte, könnte er ein weiterer Hinweis darauf sein, daß selbst die Pachomianer die Deutung der »Geheimschrift« nicht kannten.

Auch moderne Versuche, das Geheimnis der pachomianischen »Geheimschrift« zu enträtseln, sind bisher erfolglos geblieben. Versuche hierzu wurden allerdings auch erst wenige und mit sachfremder Zielsetzung unternommen. Weder Athanasius Kircher[1] noch E. Testa[2], die hier zu nennen wären, waren am Problem der pachomianischen »Geheimschrift« selbst interessiert, sondern zogen diese nur als willkommenes Beweismittel für andere Thesen heran, die zudem eine entfernte Verwandtschaft untereinander aufweisen. Athanasius Kircher war von der »significatio mystica« der, wie er meinte, vom hebräischen Alphabet abstammenden anderen Schriftsysteme überzeugt, E. Testa will ein weitverbreitetes System symbolischer Zeichen in der alten Kirche erkannt haben. Die »Geheimschrift« der Pachombriefe stellt auch für beide kein Problem in sich dar. In den jeweiligen Zusammenhang umfassenderer Ideen gestellt, löst sich deren Rätsel sozusagen von selbst. Beide Autoren ziehen zur Exemplifizierung denselben Brief Pachoms heran, nämlich die Nummer 1, den sie teilweise (Kircher) oder vollständig (Testa) »übersetzen«. Daß ihre Deutungen in keinem Fall übereinstimmen, wird niemanden verwundern[3]; auch mit

---

[1] Athanasius Kircher ist mehrfach auf die Pachombriefe zurückgekommen, scheint aber seinen einmal formulierten Wortlaut dann immer wieder ohne wesentliche Änderungen verwendet zu haben. Ich habe nicht das gesamte Opus durchgesehen. Auf folgende drei Werke trifft das Gesagte jedenfalls zu: Lingua aegyptiaca restituta (Rom 1643) 504–506; Obeliscus Pamphilius (Rom 1650) 141 f.; Turris Babel (Amsterdam 1679) 173 f. Im Oedipus (Rom 1652/54), auf den Kircher am Schluß des Abschnitts zu verweisen scheint, habe ich nichts zu den Pachombriefen gefunden.

[2] E. Testa, Il simbolismo dei giudeo-cristiani (Pubblic. dello Studium Biblicum Franciscanum; Jerusalem 1962) oft, besonders S. 78 f.

[3] Kircher hatte von den Pachombriefen durch Lukas Holste (Holstenius) Kenntnis erhalten. Nun findet sich in der von M. Brockie bearbeiteten Augsburger Neuausgabe (1759) von dessen Ausgabe des

dem von Schenute gedeuteten »Buchstaben« (vgl. oben S. 30) ergibt sich natürlich keine Übereinstimmung[1]. Wer sich ernstlich um die »Entzifferung« der pachomianischen »Geheimschrift« bemühen wollte, kann nicht völlig von den verschiedenen Gesichtspunkten historischer und systematischer Art absehen, auf die hier hingewiesen wird[2]. Auch folgende Punkte verdienen dabei noch Berücksichtigung.

Die altägyptische Hieroglyphenschrift lud geradezu zu Schriftspielereien ein, und die alten Ägypter haben immer und in vielfältiger Weise von solchen Möglichkeiten Gebrauch gemacht. Das gilt bis in die Spätzeit der altägyptischen Kultur. Die Inschriften in den Tempeln der Ptolemäer- und Römerzeit sind ein Eldorado der Kryptographie. Dabei geht es den Ägyptern weithin gar nicht darum, den Inhalt des Niedergeschriebenen wirklich zu verschleiern, vielmehr freut man sich an geistvollen Spielereien und will die Neugier des Lesers reizen[3]. Nun ist natürlich mit dem Übergang zur griechischen Schrift in

---

Codex Regularum von Benedikt von Aniane eine uneingeschränkt ablehnende Stellungnahme zu Kirchers Deutung der Pachombriefe (Bd. 1, S. 24). Es ist mir aber nicht klar, ob diese noch auf Holste selbst zurückgeht oder wer dafür verantwortlich zeichnet.

[1] Keinem der beiden ist die Schenutestelle bekannt gewesen. Um der Fairneß willen muß man natürlich sagen, daß Kircher diese noch gar nicht kennen konnte und daß er zudem einen recht schlechten Text der Pachombriefe vor sich gehabt haben muß. — Zu den »Buchstaben« im 7. Kap. des »Liber Orsiesii« (siehe oben S. 28) hat sich kurz N.-H. Ménard geäußert (Migne PL 103, 775 f., Anm. 1). Er gibt hauptsächlich das von Ptolemaeus Chennos, Nova hist. V 25–33 (37,1 – 38,11 Chatzis) gesammelte Material wieder, wo allerlei Kurioses aus dem Altertum gesammelt ist, Beziehungen ganz verschiedener Art von Buchstaben(namen) zu Einzelpersonen. Die Pachombriefe erwähnt Ménard in diesem Zusammenhang nicht einmal, wohl aber die Engelregel.

[2] Testa hatte etwa von den verschiedenen Typen der »Geheimschrift« (siehe oben S. 19–22) keine Notiz genommen, vielmehr ganz ausdrücklich behauptet, daß im Stil des 1. Briefes auch die übrigen geschrieben seien (Simbolismo 79).

[3] Vgl. H. Brunner, Änigmatische Schrift, in Handbuch der Orientalistik, 1. Abt., Bd. 1 Ägyptologie, 1. Abschn.: Ägyptische Schrift und Sprache (Leiden 1959) 55–58.

koptischer Zeit eine Kryptographie der alten Art nicht mehr
möglich. Aber die Mentalität ändert sich nicht schlagartig, und
sie kann sich leicht eine neue Ausdrucksform suchen, die den
veränderten Umständen angepaßt ist[1]. Darf man auch Pachom
in dieser Linie sehen? Täte man ihm Unrecht, wenn man auch
bei ihm noch einen Rest jener Freude am Spiel mit den Kräften
und Möglichkeiten des Geistes sehen wollte? Und muß es tatsächlich unter seiner Würde gewesen sein, mit der Neugier seines Korrespondenten auch dessen Scharfsinn geweckt zu haben,
auf der Suche nach dem Sinn eines kryptographischen Briefes
das persönliche Urteil in einem konkreten Fragepunkt zu ge-
winnen? Dann hätten die Briefe vielleicht gar nicht überall
einen präzisen Sinn, sondern wären eine Aufforderung, den in
den konkreten Umständen für den Einzelnen zutreffenden Sinn
aufzuspüren.

Solche Überlegungen können eine gewisse Stütze vielleicht
in der »Prophetie«[2] des Kjarur finden[3]. Dieser Pachomianer-
mönch erlebte schon den Niedergang des pachomianischen
Mönchtums nach Pachoms Tod und zog dagegen mit seiner
»Prophetie« zu Felde. Das Verständnis des Textes ist dadurch
sehr erschwert, daß dieser viele Wörter enthält, die sonst nur
selten oder gar nicht belegt sind und deren Sinn uns deshalb
weithin unbekannt ist. Aber sollte nicht vielleicht schon dahinter Absicht stecken? Wollte der Verfasser dem Text, mit
dem er nur zu deutliche Intentionen verfolgte, doch einen gewissen Schleier des Geheimnisvollen verleihen? Diese »Prophetie« setzt sich ganz überwiegend aus Sätzen des folgenden Typs
zusammen. Zwei parallele Glieder werden durch »das ist/heißt«
miteinander verbunden. Im ersten Teil der »Prophetie« scheint
es sich bei den so erklärten Sätzen weithin oder sogar aus-

---

[1] Man beachte etwa, daß der Traktat des Mönches Seba (Saba?)
über »das in den Buchstaben des Alphabets enthaltene Geheimnis
Gottes« gerade in koptischer Sprache erhalten ist. Siehe die Ausgabe
von A. Hebbelynck, Les mystères des lettres grecques, in Fortset-
zungen in Le Muséon N. S. 1 (1900) und 2 (1901) und separat Löwen
1902.

[2] So genannt im Titel des koptischen Textes.

[3] Ausgabe Lefort, Œuvres de Pachôme 100 ff.

schließlich um Sprichwörtliches und Redensartliches zu handeln, im zweiten Teil um konkrete Fakten aus den Mißhelligkeiten zwischen Besarion, dem Generaloberen der Pachomianer, und dem Mönch Viktor. Hier je ein Beispiel aus dem ersten und zweiten Teil: »Die Stunde des Bieres ist vorbei, die Brote sind zum Markte getragen. Das heißt: Die Stunde des Bieres ist der Anfang des Mönchtums, der Markt ist die Nachlässigkeit, zu der wir gelangt sind« (101,13–16 Lefort). Und: »Als Apa Viktor, der Obere der Schuster, (es) hörte, ging er hinein, gab den Webstuhl und den Riegel (heraus), lief aufs Dach und ließ den Hund los. Das heißt: Der Webstuhl, den er herausgab, und der Riegel sind die Langmut und das Schweigen. Der Feind ergriff weiter (oder: wieder) Besitz von ihm: Er ließ den Hund los, welcher der Streit ist. Er lief aufs Dach, welches der Hochmut ist« (103, 1–6 Lefort). Natürlich besteht keine direkte Parallelität zwischen einem solchen Text und den Briefen Pachoms. Dennoch kann dieser Text vielleicht einen Fingerzeig geben. Die Deutungen der Sprichwörter und Redensarten im ersten Teil sind oder scheinen zumindest recht willkürlich. Hier wird ganz Allgemeines auf eine konkrete Situation bezogen und erhält von daher einen völlig neuen Sinn. Könnte nicht vielleicht Ähnliches mit den Briefen Pachoms beabsichtigt gewesen sein? Die Adressaten wären dann aufgerufen gewesen, in den Sätzen und auch den »Buchstaben« den jeweils treffenden Sinn zu entdekken, der eben nicht von vornherein fixiert war. Im zweiten Teil der Kjarur-Prophetie gelten dann andere Prinzipien. Hier werden konkrete Dinge und Tatbestände mit einem übertragenen moralischen Sinn gekoppelt: Herausgeben des Riegels bedeutet Aufgabe des Schweigens, Auf-das-Dach-Steigen bedeutet Hochmut. Aber auch hier existiert keine a priori eindeutige Beziehung zwischen den gekoppelten Begriffen. Auf-das-Dach-Steigen ist eben nicht grundsätzlich ein Zeichen von Hochmut. Vielleicht wären auch in den Pachombriefen einzelne Sätze — nicht »Buchstaben« — in dieser Weise vom Adressaten zu deuten gewesen. Wenn schon die vielfältige Verwendung von »Buchstaben« in den Pachombriefen praktisch mit Sicherheit ausschließt, daß wir es mit einem ausgearbeiteten System der Verschlüsselung zu tun haben, das man nur

zu dechiffrieren bräuchte, so können die Deutungen der Kjarur-
Prophetie lehren, daß man auf jeden Fall über den Buchstaben
— sowohl den »Buchstaben« der »Geheimschrift« als auch den
buchstäblichen Sinn der Sätze — hinausgehen und den eigentlichen Sinn erschließen muß, und dies jenseits fester Regeln.

Abschließend sei dann noch ein Überblick über jene Passagen in den Briefen selbst gegeben, die Aussagen über die »Geheimschrift« zu sein scheinen, obwohl es enttäuschend sein mag,
daß sie uns in der Entschlüsselung nicht unmittelbar weiterhel-
fen. Diese Hinweise aus erster Hand dürfen aber dennoch auf
keinen Fall vernachlässigt werden[1]. Vielleicht gehört hierher
schon eine Stelle am Schluß von Brief 1: »Die geschriebenen
Buchstaben des Briefes sind ⲗ und ⲓ.«[2] Hier werden eindeutig
»Brief« und »Buchstaben« terminologisch unterschieden. Die
Frage ist nur, ob das Wort »Buchstaben« hier die Buchstaben
im gewöhnlichen Sinn meint, wie sie als Elemente jedes Briefes
fungieren, oder aber die »Buchstaben« der pachomianischen
»Geheimschrift«. Dieselbe Unterscheidung zwischen »Brief«
(ἐπιστολή) und »Buchstabe« (ⲥϩⲁⲓ) macht auch Schenute bei
dem Zitat aus dem 1. Brief (vgl. unten S. 48), und Pachom
könnte in seinem koptischen Text leicht dieselbe Terminologie
gebraucht haben. Das koptische Wort ⲥϩⲁⲓ bedeutet sowohl
»Buchstabe« als auch »Brief«, und dementsprechend wird für
»Brief« zur Unterscheidung dann das im Koptischen gleichfalls
übliche griechische Wort verwendet. Bei Schenute ist es auch
ziemlich klar, daß er mit ⲥϩⲁⲓ nur die »Buchstaben« der pachomianischen »Geheimschrift« meinen kann, denn von den Buchstaben, die jeden Brief bilden, zu sprechen hatte er keinen erkennbaren Anlaß.

Weiterhin könnte auch im 2. Brief Pachoms von den »Buchstaben« der »Geheimschrift« die Rede sein: »Wasche dein Ge-
sicht, damit deine Augen sehen und du die Buchstaben richtig
liest!«[3] An dieser Stelle könnte zum Ausdruck kommen, daß

---

[1] Die Titel der Briefe bleiben hier, da nicht ursprünglich, außer
Betracht. Vgl. zu den Titeln oben S. 32 f.
[2] Griech. Z. 19 f.; latein. 78,7 f. Boon. Koptisch nicht erhalten.
[3] Griech. Z. 27 f.; koptisch nicht erhalten. Der lateinische Text

man zum richtigen Verständnis der »Buchstaben« nicht ein Dechiffriersystem kennen muß, sondern der entsprechenden Einsicht bedarf. Allerdings haben wir keine letzte Sicherheit darüber, daß das Wort »Buchstabe« hier tatsächlich die »Buchstaben« der pachomianischen »Geheimschrift« meint.

Vom verborgenen Sinn der Briefe — nicht speziell der »Buchstaben« — könnte eine Stelle am Schluß von Brief 4 handeln: »Ich habe euch in Bildern und Gleichnissen geschrieben, damit ihr es (?)[1] in Weisheit sucht, den Spuren der Heiligen folgend.«[2] Auch diese Stelle scheint anzudeuten, daß sich der Sinn der Briefe (nicht ausschließlich der »Buchstaben«) nur einer besonderen Einsicht erschließt.

Ganz dem Verständnis der Briefe könnte Brief 6 gewidmet sein. Es kann an diesem Ort nur auf einige Stellen hingewiesen werden. Der Brief beginnt: »Volo vos intellegere litteras, quas scripsistis mihi et quas ego rescripsi vobis, et quomodo oporteat omnia spiritalis alfabeti elementa cognoscere.«[3] Leider lassen sich die terminologischen Unklarheiten wieder nicht bereinigen. Es ist keineswegs ausgemacht, daß mit den beiden Termini »litterae« und »elementa« Verschiedenes gemeint sein muß, ersteres dann wohl »Briefe« und letzteres »Buchstaben« bedeutet. Es könnte einfach Wechsel im Ausdruck vorliegen und dieser überhaupt erst in der lateinischen Übersetzung vorgenommen worden sein (vgl. unten S. 58). Ziemlich deutlich ist hingegen, daß die »spiritalis alfabeti elementa« die »Buchstaben« der pachomianischen »Geheimschrift« sein müssen. Die Übersetzungsweise des Hieronymus gestattet es uns aber nicht,

---

weicht ab, und gerade im entscheidenden Punkt. Vermutlich durch mangelnde Genauigkeit des Übersetzers (vgl. unten S. 60) ist »Buchstaben« in »was geschrieben ist« geändert. Dagegen ist am Anfang mit »laba« (= lava) in der Handschrift E die richtige Lesart bewahrt, nur vom Herausgeber in den Apparat verwiesen worden.

[1] »Ea«, Bezug unklar. Sollte mit dem Pronomen das Vorausgehende insgesamt wiederaufgenommen sein?
[2] 89,3 f. Boon. Koptisch und griechisch nicht erhalten.
[3] 92,28 – 93,2 Boon. Koptisch und griechisch ist von diesem Brief nichts erhalten.

daraus die griechische und koptische Vorlage zu rekonstruieren. Sollte στοιχεῖον, auch im Koptischen, dort gestanden haben? Der Brief geht dann mit ausführlichen Hinweisen zum Schreiben bestimmter Buchstaben weiter, wobei, wie nach dem Eingang des Briefes zu erwarten, viel von schon geschriebenen Buchstaben die Rede ist. Es folgt aber auch nochmals die allgemeine Aufforderung, »ut intellegatis mysteria litterarum« (93,4 Boon), bei der wieder nicht klar ist, ob die »Briefe« oder die »Buchstaben« gemeint sind. Am Schluß gibt Pachom der Überzeugung Ausdruck, daß seine Adressaten in ihrer Weisheit (»ut sapientes«) verstehen werden, was er ihnen schreibt, und sich entsprechend verhalten werden (95,2–4 Boon). Durch all das kann man nur in der schon mehrfach geäußerten Vermutung bestärkt werden, daß es zum Verständnis der pachomianischen »Geheimschrift« nicht eines Dechiffrierschlüssels bedarf, sondern der entsprechenden Einsicht. Die Einzelangaben über das Schreiben bestimmter Buchstaben bleiben uns natürlich letztlich wieder unverständlich, wenn auch viele von ihnen den Eindruck machen, als ginge es nur um graphische Details wie z. B. das Schreiben eines Buchstabens über einen anderen. Auffällig sind die vielen Anweisungen an die Adressaten, dieses oder jenes, etwas so oder anders zu schreiben. Fast der gesamte Brief bezieht sich auf das Schreiben bestimmter Buchstaben. Dazwischen fallen Sätze auf, von denen wir nicht wissen, ob sie gleichfalls im Zusammenhang mit dem Schreiben stehen. Die Adressaten sollen sich um bestimmte Buchstaben bzw. das damit Bezeichnete »kümmern«[1]. Ein Passus scheint besagen zu wollen, daß der Name des Verfassers ⲥϥⲟⲙ geschrieben werde (93,10 f. Boon).

Auch der Brief 11b enthält viele Aussagen über das Schreiben einzelner Buchstaben, darunter auch wieder solche, in denen dem Adressaten gesagt wird, welche Buchstaben er zu schreiben hat. Erwähnenswert ist aber vor allem eine Stelle,

---

[1] »Curam habere« 93,16 und 94,7 Boon und »sollicitus esse« 94,8 Boon.

nach der der Adressat »zählen« muß[1]. Sollte hier an den Zahlenwert der Buchstaben gedacht sein, was sich bei dem Buchstabenquadrat ohnehin nahelegt?

Zum Schluß sei nochmal an den 10. Brief erinnert, der keine »Buchstaben« enthält und dennoch so rätselhaft ist. Nach meiner Auffassung stellt er wirklich einen eigenen »Typ« pachomianischer »Geheimschrift« dar und nicht nur ein Schriftstück, in dem sich sozusagen zufällig dunkle Sätze, wie sie gelegentlich auch sonst in den Briefen vorkommen, gehäuft haben. Und hier ist es am allerschwersten, sich die Erschließung seines Inhalts durch die Anwendung eines bestimmten Schlüssels zu denken. So legt sich einmal mehr die Vermutung nahe, der Leser habe sich beim Lesen der rätselhaften Texte seine Gedanken machen sollen.

[1] 101,5 f. Boon. Auf dem koptischen Fragment läßt sich gerade noch das dem »numerare« entsprechende ⲱⲡ erkennen, das neben »zählen« auch »betrachten als« usw. bedeutet. Im übrigen ist die Übereinstimmung zweifelhaft, da der lateinische Text hier auf jeden Fall kürzer ist als der koptische. Im koptischen steht auch, wenn auch nicht korrekt als Akkusativ konstruiert, nach »zählen« der Einzelbuchstabe ⲣ, der im lateinischen auf jeden Fall fehlt. Ist dieser hier als »Buchstabe« oder als Zahlzeichen (= 100) verwandt?

III.

DIE TEXTÜBERLIEFERUNG DER PACHOMBRIEFE

1. DER KOPTISCHE TEXT

A. Die Kölner Blätter. Die beiden Pergamentblätter der Kölner Papyrussammlung Inv. Nr. 3286 und 3287[1] enthalten praktisch vollständig die Briefe 8 (Nr. 3286) und 10 und 11a (Nr. 3287). Nur wenige Buchstaben sind verlorengegangen. Es handelt sich um Einzelblätter, die niemals Bestandteil eines Kodex (oder einer Rolle) waren, aber dennoch untereinander zusammengehören. Sie sind aller Wahrscheinlichkeit nach von ein und derselben Hand beschrieben. Das Material ist Pergamentabfall mit unregelmäßigen Rändern und von länglichem Format (31 × 15 cm und 50 × 10 cm). Die Schriftzeilen laufen parallel zu den Schmalseiten. Die Schrift ist eine Unziale vermutlich des 5. Jahrhunderts. Die Blätter tragen keinerlei Titel und keine Verfasserangabe. Diese sind aber auch nicht etwa weggebrochen. Man darf vermuten, daß ursprünglich noch weitere Blätter derselben Art dazugehörten, die zusammen vielleicht sogar die vollständige Sammlung der Briefe Pachoms enthielten. Die Blätter sind einseitig beschrieben, wenn man davon absieht, daß bei Nr. 3287 der Anfang von Brief 10 auch noch auf der Rückseite steht[2]. Beschrieben ist selbstverständlich in beiden

---

[1] Das erste veröffentlicht als Pap. Colon. Copt. 2 von A. Hermann, das zweite als Pap. Colon. Copt. 1 von A. Kropp in Demot. u. Kopt. Texte 82–85 und 69–81, jeweils mit vollständigem Faksimile des Originals. Vgl. dazu Quecke, Briefe Pachoms koptisch.

[2] Warum dies der Fall ist, ist nicht klar. Der Herausgeber hatte vermutet, daß es sich um eine Schülerübung handele und der Schüler die schlecht begonnene Übung habe abbrechen und auf der Rückseite neu beginnen müssen. Diese Ansicht halte ich für verfehlt; vgl. Quecke, Briefe Pachoms koptisch 657.

Fällen die Fleischseite, nur der wiederholte Beginn von Brief
10 steht auf der Haarseite. Dieser wiederholte Beginn enthält
gegenüber dem vollständigen Text desselben Briefes auf der
Vorderseite einige Varianten, in denen ich aber im Gegensatz
zum Herausgeber nur grammatische, keine inhaltlichen Korrekturen sehen kann[1]. Der Text der Haarseite ist das reinere
Saïdisch, der der Fleischseite enthält mehr dialektische Formen (wohl achmimische)[2]. Vielleicht verfolgte der Schreiber
mit der zweiten Niederschrift die Absicht, Dialektformen aus-
zumerzen, hat seine Arbeit aber dann aus nicht bekannten Gründen später nach 22 Zeilen wieder aufgegeben.

* * *

B. Der Chester-Beatty-Papyrus. In der Chester Beatty
Library (Dublin) befinden sich die stark zerstörten Reste von
vier aufeinanderfolgenden Blättern eines Papyruskodex[3], die
im ursprünglichen Zustand vollständig folgende Stücke des
pachomianischen Briefkorpus enthielten: Brief 11b, 10, 11a,
das Buchstabenquadrat, Brief 9a und 9b, und zwar in der
angegebenen Reihenfolge. Vermutlich bildeten diese acht Seiten in der Handschrift die letzten Seiten der Pachombriefe,
denn auf Seite 8 ist etwa ein Drittel der Schreibfläche frei geblieben. Es ist jeweils die volle Höhe der Seiten, aber jeweils nur
etwa das innere Drittel erhalten. Die Schrift, eine recht ele-
gante Unziale, könnte noch dem 6. Jahrhundert angehören.
Auch hier trägt keiner der Briefe einen Titel. Ebenso fehlt der
Name des Autors, doch braucht dieser natürlich nur am Anfang
der Sammlung genannt gewesen sein. Wir können allerdings
nicht als selbstverständlich voraussetzen, daß Pachoms Name
dort wirklich stand. Der Name des Verfassers hätte zudem noch

---

[1] Natürlich waren derartige Korrekturen nach dem Herausgeber
nicht der Grund für die zweite Niederschrift. Auch nimmt der Herausgeber nur von einer Variante an, daß sie »den Text zu glätten« suche
(Demot. u. Kopt. Texte 74 und 76). Auf die anderen Varianten geht
er nicht näher ein.

[2] Vgl. wieder Quecke, Briefe Pachoms koptisch 657 f.

[3] Veröffentlicht von Quecke, Neues Fragment.

am Schluß des Textes stehen können, doch suchen wir ihn auf der 8. Seite, die wohl die letzte der Briefe war, vergeblich. Die einzelnen Briefe sind durch Zierleisten mit Paragraphoszeichen voneinander getrennt, soweit das Briefende nicht mit dem Seitenschluß zusammenfällt. Die Ordnung der Briefe weicht von der in der lateinischen Übersetzung ab[1].

* * *

Von zwei Briefen, den Nummern 10 und 11a, besitzen wir somit zwei koptische Zeugen, wenn auch der eine sehr lakunös ist. Soweit die beiden Handschriften sich decken, stimmen sie weitestgehend überein, z. T. auch in geringfügigen sprachlichen Eigentümlichkeiten[2]. Es sind überhaupt nur folgende Varianten festzustellen. In Brief 11a hat das Kölner Blatt in dem Zitat aus Spr 10,1a bzw. 15,20a[3] das ägyptische caße, der Chester-Beatty-Papyrus das griechische σοφός (Text unten S. 115). Und aller Wahrscheinlichkeit nach fehlt auf dem Chester-Beatty-Papyrus am Schluß von Brief 10 »und mit diesen wurde die Erde bevölkert«[4].

Wenn es demnach so aussehen könnte, als wäre die koptische Überlieferung sehr zuverlässig, so darf man ihre Lesarten dennoch nicht unbesehen vorziehen. In Brief 9b hat der Chester-Beatty-Papyrus einmal ein Schriftzitat, das eindeutig von dem der lateinischen Übersetzung abweicht. (Der griechische Text dieses Briefes ist nicht erhalten.) Wahrscheinlich ist der stark verstümmelte Vers so zu rekonstruieren: »hc Er hat [die Hungrigen mit Gü]tern gesättigt, was h ist«[5]. In der lateinischen

---

[1] In den Handschriften der lateinischen Übersetzung sind die Briefe verschieden angeordnet (siehe Boon, Pach. lat., S. XXI), aber nirgendwo so wie in der koptischen Handschrift.

[2] Vgl. Quecke, Neues Fragment 70.

[3] Also latein. 100,13 Boon. Im übrigen ist die lateinische Übersetzung an dieser Stelle verderbt.

[4] Vgl. Quecke, Neues Fragment 79.

[5] Wohl nach Lk 1,53 zu ergänzen. Es kämen natürlich auch andere Schriftstellen (die alttestamentlichen Quellen) in Frage. Koptischer Text unten S. 118.

Übersetzung heißt es dagegen: »HC (Var. NC) Dominus dat mihi linguam disciplinae Λ«[1]. Hier scheint die lateinische Übersetzung im Recht, denn die Lesart des koptischen Textes macht sich schon durch das angehängte »was ... ist« verdächtig. Ein solcher Versschluß gehört nicht zum Genus dieses Briefes (Typ A; siehe oben S. 20 f.), sondern zu dem von Brief 9a (Typ B; oben S. 21 f.). Umgekehrt fehlt im Chester-Beatty-Papyrus einmal im Brief 9a vor dem Buchstaben p diese Formel »was ... ist«[2]. Auch das kann nur ein Fehler sein. Die drei genannten Fehler des Chester-Beatty-Papyrus verteilen sich auf die Briefe 9a, 9b und 10. Es scheint also nicht so zu sein, als wäre nur ein bestimmter Abschnitt verderbt. Zunächst deutet erst einmal alles darauf hin, daß die Kölner Blätter dem Chester-Beatty-Papyrus überlegen sein könnten.

* * *

C. Zitate bei koptischen Autoren. a) Pachom (?). Ein Fragment, das vielleicht aus einer Schrift von Pachom selbst stammt, hat uns die koptische Entsprechung zu einem Satz aus Brief 3 überliefert, jedoch nicht formell als Zitat. Und da das Fragment sonst Horsiese zugeschrieben wird, könnte auf jeden Fall ein Zusammenhang zwischen der Stelle aus Pachoms 3. Brief und dem genannten Fragment bestehen. Der fragliche Satz lautet in deutscher Übersetzung: »Die Raserei des Bauches ist schlimmer als sie alle« (80,8 Lefort; Text auch unten S. 112). Das entspricht recht genau folgendem Satz aus Brief 3: μανία κοιλίας χαλεπωτέρα ἐστὶν τούτων πάντων[3]. Sollte das Fragment aus einem Horsiesetext stammen, dann hat Horsiese hier vielleicht stillschweigend seinen Meister zitiert, was aber nicht notwendig im Sinn literarischer Abhängigkeit verstanden werden muß.

[1] 98,10 f. Boon. Das Zitat aus Jes 50,4.
[2] Text unten S. 117. Im Lateinischen entspricht 97,20 Boon.
[3] Z. 62 f. Die lateinische Übersetzung (80,17 Boon) ist weniger genau.

Bei dem Fragment geht es um das Blatt 148 im Band 131 (4)
der koptischen Handschriften der Pariser Bibliothèque Na-
tionale. Das Blatt enthält den Schluß eines Textes und — ohne
Titel und Verfasserangabe — den Beginn des folgenden Textes.
Lefort hatte beide Textstücke Horsiese zugewiesen[1], da das
Blatt aus paläographischen Gründen mit einigen anderen Blättern zu ein und demselben Kodex gehört haben muß und der
Text der übrigen Blätter sich teilweise mit dem von anderen
deckt, auf denen sich auch ein Titel, der Horsiese als Verfasser
nennt, erhalten hat. Nun hatte der Herausgeber übersehen,
daß der zweite Text des Pariser Blattes (der Textanfang) nichts
anderes ist als das Proömium zu Pachoms »Praecepta et Instituta«[2]. Wenn dies Regelwerk pachomianisch ist, woran Lefort
nie gezweifelt hat, dann könnte man eher vermuten, daß auch
das andere Textstück (der Textschluß) von Pachom stammt.
In diesem Teil findet sich der uns hier interessierende Satz, der
sich mit dem Satz in Pachoms 3. Brief deckt. Veilleux allerdings folgert umgekehrt, daß eher die »Praecepta et Instituta«
vom Schreiber des Kodex als dem Horsiese gehörig angesehen
worden sein dürften[3]. Ausgangspunkt seiner Überlegungen
ist folgender Tatbestand: Von den Blättern des Kodex haben
nur zwei ihre Paginierung bewahrt, nämlich S. 35–38. Das Pariser Blatt, um das es uns hier geht, hat zwar wie die meisten
übrigen die Paginierung verloren, aber es zeigt immerhin noch
die Markierung, die es als letztes Blatt der 3. Lage ausweist.
Damit kennen wir also doch die Position dieses Blattes in der
Handschrift, nämlich S. 45/46 (oder 47/48). Das interpretiert
Veilleux nun weiterhin so: Die übrigen Blätter, von denen einige
die Paginierung 35–38 erhalten haben und die einen Horsiesetext enthalten, müssen dem fraglichen Blatt mit dem Proömium
der »Praecepta et Instituta« vorausgegangen sein. Und da die
»Praecepta et Instituta« hier keine eigene Verfasserangabe tragen, müssen sie vom Schreiber als Werk des Horsiese angesehen

---

[1] Text bei Lefort, Œuvres de Pachôme 80. Zur Zuweisung siehe
ebd. S. XXI f.
[2] Das hat erst später H. Bacht erkannt (Verkanntes Fragment).
[3] Veilleux, Liturgie 124–126.

46

worden sein. Dieses Argument ist nicht schlüssig. Zunächst einmal folgt aus den angeführten Daten keineswegs, daß die als S. 35–38 paginierten Blätter in der Tat ihren Platz vor der 3. Lage hatten. Es ist eine weitverbreitete Sitte unter den koptischen Schreibern, mit einem neuen Text auch eine neue Paginierung zu beginnen. Der Horsiesetext kann also, obwohl zwei seiner Blätter die Paginierung 35–38 zeigen, sehr wohl erst auf die 3. Lage gefolgt sein[1]. Es ist aber weiterhin auch gar nicht sicher, daß die »Praecepta et Instituta« in der Handschrift durch keinen Titel vom Horsiesetext, wenn dieser vorausgegangen sein sollte, getrennt waren. Denn auch Veilleux nimmt an, daß der erste Text des Pariser Blattes (der Textschluß) höchstwahrscheinlich nicht dem Horsiese gehört[2] und möglicherweise der Begleitbrief zu den »Praecepta et Instituta« war[3]. Könnte dann der gesuchte Titel nicht am heute verlorenen Beginn dieses Begleitbriefes gestanden haben? Alle diese Punkte können wir heute nicht mehr mit Sicherheit entscheiden. Es ergibt sich daraus jedenfalls kein durchschlagendes Argument gegen Pachoms Autorschaft an den »Praecepta et Instituta«, und insofern man am pachomianischen Ursprung der »Praecepta et Instituta« festzuhalten gewillt ist, kann man auch den pachomianischen Ursprung jenes Textes erwägen, der den »Praecepta et Instituta« auf dem Pariser Blatt vorausgeht und unter anderem den Satz enthält, der sich in Pachoms 3. Brief wiederfindet.

b) Horsiese. Von einer »Katechese« des Horsiese ist uns das erste Blatt mit Titel und Verfasserangabe erhalten (66,24 ff. Lefort). Die letzten Zeilen dieses Fragments lauten so: »... vielmehr 'soll der unverschämte Aion sich mit uns freuen, (und) nicht sollen wir uns mit dem unverschämten Aion freuen' nach dem Befehl unseres heiligen Vaters Pachom. Er sagt nämlich [...«[4] Was innerhalb dieser Horsiesestelle in einfache Anführungs-

---

[1] Darauf habe ich schon früher hingewiesen: Enchoria 3 (1973) 162 f.
[2] Veilleux, Liturgie 124 unten.
[3] Ebd. 124 und 125.
[4] 67,28–30 Lefort. Das Fragment bricht mit den zuletzt zitierten Worten ab. Ob uns aus dem weiteren Verlauf der »Katechese« noch

zeichen gesetzt ist, ist ein eindeutiges Zitat aus Pachoms 1. Brief (griech. Z. 7; latein. 77,15 f. Boon). Geändert ist gegenüber dem ursprünglichen Text nur die 2. Person Singular in die 1. Person Plural, was sich aus der Art erklärt, wie Horsiese den Text auf sich und seine Mönche anwendet. Der koptische Text des Zitates weicht aber noch in einem anderen Punkt von der griechischen und lateinischen Übersetzung ab. Im Koptischen stehen die beiden parallelen Glieder asyndetisch nebeneinander, in der griechischen (und lateinischen) Übersetzung ist das zweite dem ersten final untergeordnet. Es kann nicht zweifelhaft sein, daß Horsiese in diesem Punkt den ursprünglichen Wortlaut bewahrt hat. Diese Annahme findet ihre Bestätigung darin, daß wir bei dem unmittelbar vorausgehenden Satz dasselbe feststellen müssen. Wiederum handelt es sich um zwei parallele Glieder, und Schenute gibt diese bei seiner Zitation unverbunden, während die griechische (und lateinische) Übersetzung auch hier die finale Verknüpfung einführt (Einzelheiten gleich unten).

Eine gewisse Schwierigkeit bereitet die Art der Zitation. Horsiese bringt zwar eine kurze Satzfolge, die wir durch Vergleich mit dem erhaltenen Text der Briefe Pachoms als Zitat daraus erkennen können, deutlich mit dem Namen Pachoms in Verbindung, doch will es dann so scheinen, als sollte das Zitat erst folgen. Da der Text hier abbricht, läßt sich keine sichere Antwort geben. Sollte das Zitat vielleicht noch fortgesetzt werden? Sollte eine Deutung angeschlossen werden, so daß die letzten erhaltenen Worte als »er meint nämlich . . .« zu verstehen wären?[1] Schließlich wäre es theoretisch möglich, daß die Verbform »er sagt« ein anderes Subjekt hatte, das nachgestellt war und mit dem folgenden Blatt verlorengegangen ist[2].

---

etwas erhalten ist, ist unsicher. Für unsere Frage ist das auch belanglos. Der koptische Text auch unten S. 111.

[1] Siehe oben S. 30 einen analogen Fall bei der Zitation Schenutes aus demselben Brief. Allerdings ist Schenutes Ausdrucksweise entschieden klarer: »Ich für meinen Teil denke, daß er sagt (— meint) . . .«

[2] Zu dem Gebrauch, den der »Liber Orsiesii« möglicherweise von den Briefen Pachoms macht, siehe oben S. 12 f. Da der »Liber« nur lateinisch erhalten ist, sind diese Stellen für die Textgeschichte von geringer Bedeutung.

c) Schenute. 1) Schon seit langem ist bekannt, daß Schenute in einem seiner Sermones einen Satz aus Pachoms 1. Brief zitiert[1]. Der betreffende Abschnitt ist in zwei Handschriften überliefert. Beide Zeugen bieten genau denselben Text. Er lautet mitsamt seinem Kontext: »Ein guter und weiser und wahrhaft frommer Vater hat mit seinen Buchstaben (ⲥϩⲁⲓ̈) in Briefen (ἐπιστολή) gesagt: 'Singe dem ⲱ! Laß nicht das ⲱ dir singen!' Ich für meinen Teil denke, daß er folgendes sagt: Singe der Welt ... Laß nicht die Welt dir singen ...!«[2] Auch hier zeigen wieder die einfachen Anführungszeichen das Zitat an. Es ist jener Satz aus Pachoms 1. Brief, der dem von Horsiese zitierten unmittelbar vorausgeht. Im koptischen Text Schenutes finden wir gegenüber der griechischen (und lateinischen) Übersetzung dieselbe Abweichung wie schon vorher bei Horsieses Zitation: unverbundene Nebeneinanderstellung der beiden parallelen Glieder statt finaler Unterordnung. Wie schon gesagt, haben die Zitationen hierin sicher den ursprünglichen Wortlaut bewahrt. Wäre in diesem Punkt der durch die Übersetzungen bezeugte Wortlaut der ursprüngliche, wie wäre es dann zu erklären, daß zwei Autoren beim Zitieren unabhängig voneinander dieselbe Änderung am Text vorgenommen hätten? Im Gegensatz zu dem Zitat bei Horsiese, das in einem anderen Punkt gegenüber dem Originaltext verändert ist, dürfte das Zitat bei Schenute mit dem Original buchstäblich übereinstimmen. Auffällig ist die Art, wie Schenute das Zitat einführt. Darüber wird gleich anschließend bei den beiden anderen Zitationen zu sprechen sein. Beachtung verdient noch, daß Schenute hier offensichtlich die »Buchstaben« der pachomianischen »Geheimschrift« — ein solcher »Buchstabe« kommt ja auch in dem zitierten Satz vor — ausdrücklich erwähnt (vgl. oben S. 37).

---

[1] G. Zoega, Catalogus codicum copticorum manu scriptorum, qui in Museo Borgiano Veletris adservantur (Rom 1810) 468, Anm. 102. Ausführlich dazu Quecke, Pachomiuszitat.

[2] I (3) 423,8 ff. Amélineau; Chassinat, Quatrième livre 111,35 ff. (ⲥϩⲣⲁⲓ statt ⲥϩⲁⲓ ist Druckfehler; nach Foto kollationiert). Der Text des Zitats auch unten S. 111. Die Deutung Schenutes (in Übersetzung) etwas ausführlicher oben S. 30.

2) An einer anderen Stelle zitiert Schenute zwei zusammengehörige Stellen aus Pachoms 10. Brief[1]. Wiederum ist die betreffende Schenutestelle in zwei Handschriften überliefert, die aber diesmal nicht von gleicher Qualität sind[2]. Es folgt hier das Zitat (mit seinem Kontext) neben dem Original, beides in Übersetzung[3]; es wäre sonst zu umständlich, die Abweichungen zwischen Original und Zitat zu erläutern.

Brief 10	Schenute
	Das sind die unreinen Menschen, über die unsere heiligen

[1] Schon hieraus wird deutlich, daß meine frühere Behauptung, Schenute zitiere über das Zitat aus dem 1. Brief hinaus Pachom nicht (Pachomiuszitat 166), falsch war. Außer an den Stellen, die wir hier gerade behandeln, wird Pachom von Schenute noch an zwei weiteren Stellen genannt, einmal jedoch sicher nur in der Argumentation von Schenutes Gegnern (III 120,7 f. Leipoldt). Ob die andere Stelle (I [3] 461 Amélineau) ebenso zu verstehen ist, ist mir nicht recht klar. Leipoldt nahm an, daß hier Praecepta 94 wörtlich zitiert sei (Schenute von Atripe und die Entstehung des national ägyptischen Christentums = Texte und Untersuchungen N. F. 10,1, Leipzig 1903, S. 99, Anm. 6). Da wir inzwischen den koptischen Wortlaut dieses Pachomtextes kennen (31,7 Lefort), ist nun deutlich, daß jedenfalls kein wörtliches Zitat vorliegt. Natürlich kann Schenute (oder gegebenenfalls seine Gegner) dennoch die genannte Pachomregel im Auge gehabt haben. Andererseits ist uns ein inhaltlich identisches Verbot auch unter Schenutes eigenem Namen überliefert (IV 168,3 f. Leipoldt).
[2] Der Text beider Handschriften bei Amélineau, Œuvres de Schenoudi II (2) 170,8 ff. mit Apparat. Da uns das koptische Original von Pachoms Brief erhalten ist, bereitet die Textherstellung dieser Schenutestelle keine Schwierigkeit. Die Borgia-Handschrift, die Amélineau abdruckt, ist der Crawford-Handschrift, deren Lesarten Amélineau im Apparat bringt, deutlich unterlegen. Inhaltlich ergibt sich jedoch nur in einem Fall eine größere Änderung des »Sinnes«, nämlich bei πληγή statt πύλη.
[3] Die koptischen Texte auch unten S. 113 f. Griech. Rs. 17–23; latein. 99,12–17 Boon. Die beiden Zitate bilden im Original einen durchgehenden Text. Die Lücke in der anschließenden Übersetzung des Pachomtextes rührt allein daher, daß ich den Text möglichst genau neben die Zitationen stelle, zwischen die Schenute einige verbindende Worte eingeschoben hat.

Die Oikonomoi haben einen Frevel in ihrem Korb begangen, wobei das Schwert ihres Verderbens unter ihrem Busen war, welcher der Garten ist, (und) indem sie in den Toren der Unterwelt den Überflüssen der Erde oder den Gütern, die Gott den Menschen gegeben hat, auflauerten[4].

Sie sagten: Kommt, laßt uns unsere Wege erforschen und sehen, ob wir Sauerteig finden, und ihn in Teig mengen, der nicht aufgeht und sich nicht vermehrt, sondern in Hungersnot zu Ende geht.

Väter, die alles verstehen[1], in ihren Briefen geschrieben haben: 'Wobei[2] das Schwert ihres Verderbens unter ihrem Busen war[3] (und) indem sie in den Toren der Unterwelt lauerten'.

Und sie haben weiterhin über jene schlimmen Tiere gesagt: 'Sie suchten und forschten, um zu sehen, ob sie Sauerteig finden würden, (und) um ihn in Teig zu mengen, der nicht aufgeht und sich nicht vermehrt, sondern in Hungersnot zu Ende geht.' Ich für meinen Teil weiß, was diese Worte bedeuten.

Der Vergleich der beiden Kolumnen zeigt unmittelbar, inwieweit Schenute den 10. Brief Pachoms hier zitiert hat. Die Stellen sind zudem wieder durch einfache Anführungszeichen kenntlich gemacht. Die Abweichungen vom Original bestehen einmal (1. Zitat) in zwei Auslassungen, sodann (2. Zitat) in der Umsetzung der direkten Rede in Erzählung, wodurch die 1. Person Plural in die 3. Person Plural und der Konjunktiv (Kohortativ) ins Imperfekt geändert wurde; außerdem mußte dabei für den Imperativ »kommt!« ein ganz anderes Verb eintreten. Trotzdem ist unmittelbar evident, daß Pachoms 10. Brief die Quelle für Schenutes Zitation ist. Schenute hat die Stellen auch ausdrücklich als Zitate ausgewiesen. Philologisch wichtig ist, daß bei Schenute für »Sauerteig« das absolut eindeutige ⲑⲁⲃ steht. Der erhaltene koptische Text von Pachoms Brief hat stattdessen nämlich ⲥⲓⲉⲣ, eine bisher sonst nicht belegte Form,

---

[1] Bzw. »erkennen; bedenken« (νοεῖν).

[2] Umstandssatz aus dem Kontext des Originals; sonst Hauptsatz (Präsens II).

[3] Präteritum wiederum aus dem Kontext des Originals; sonst Präsens.

[4] Griechische und lateinische Übersetzung abweichend.

deren Bedeutung zunächst nur aus der griechischen (und lateinischen) Übersetzung erschlossen werden konnte. Man wird
jetzt annehmen dürfen, daß in den verschiedenen koptischen
Texten zwei Wörter gleicher Bedeutung ausgetauscht wurden[1].
Daß ϭιειρ seiner Form nach ein achmimisches Wort sein
muß, ist kein Gegenargument[2]. Eher könnte man darin den
Grund dafür finden, daß es durch ein anderes Wort ersetzt
wurde. Es mag allerdings verwundern, daß nicht die entsprechende saïdische Form von derselben Wurzel gewählt wurde.
Die Fortsetzung von Schenutes Text könnte wieder darauf
hinweisen, daß auch dieses Zitat, obwohl Brief 10 keine »Buchstaben« enthält, der Erklärung bedarf. Was dann folgt, ist
höchstens eine vage Andeutung, keine wirklich Deutung wie
bei dem Zitat aus Brief 1.

In beiden Fällen — bei dem Zitat aus Pachoms 1. Brief
und bei den beiden Zitaten aus dem 10. Brief — nennt Schenute
den zitierten Autor nicht, sondern führt ihn beide Male auf
geradezu geheimnisvolle Weise ein. Warum? Sollte er nicht
gewußt haben, wem die zitierten Briefe gehören? Das dürfte
kaum der Fall sein[3]. Schenute redet nicht wie einer, der etwas
nicht weiß, sondern wie einer der etwas nicht sagen will. Warum
aber sollte Schenute den Namen Pachoms absichtlich verschwie-
gen haben? Leipoldt, der nur das Zitat aus Brief 1 kannte,
meinte, daß Schenute Pachoms Namen deshalb nicht genannt
habe, weil die betreffende Ansprache vor einem praeses (ἡγεμών)
gehalten wurde, bei dem man Bekanntschaft mit Pachom vielleicht nicht voraussetzen durfte[4]. Das mag zutreffen, doch
haben wir hierüber keine Sicherheit. Der Text mit den Zitaten

---

[1] Ein derartiger Wechsel ist auch in Brief 11a zu beobachten
(siehe oben S. 43).
[2] Zu weiteren Achmimismen auf den Kölner Blättern vgl.
Quecke, Briefe Pachoms koptisch 658 mit Anm. 15.
[3] Selbst dann nicht, wenn ihm die Briefe anonym vorgelegen
haben sollten, was durchaus möglich ist (vgl. oben S. 14). Und Schenutes Mönche haben später auf jeden Fall gewußt, wer der zitierte
Autor ist. Denn nur deshalb kann dieser Abschnitt aus Schenutes
Werk am Fest Pachoms als liturgische Schenutelesung gewählt worden sein; vgl. dazu Quecke, Pachomiuszitat 161–164.
[4] Leipoldt, Schenute von Atripe 86, Anm. 4.

aus Brief 10 ist nur akephal erhalten, und wir wissen nicht, an wen Schenute sich darin wendet. Der erhaltene Teil macht jedenfalls nicht den Eindruck, als könnte Schenute hier ausschließlich zu seinen Mönchen sprechen. Andererseits möchte man ungern jene etwas ausgefallene Erklärung für die beiden Sermones mit Schenutezitaten annehmen.

2. Der griechische Text

Der Text des einzigen bisher bekannten Zeugen der griechischen Übersetzung von Pachoms Briefen wird unten erstmals veröffentlicht. Genaueres zur Handschrift folgt dementsprechend unten in einem eigenen Kapitel (S. 73 ff.). Hier wird zunächst nur der Text selbst herangezogen. Es soll dabei zuerst einmal versucht werden, durch Vergleich mit dem erhaltenen koptischen Text die Qualität der griechischen Übersetzung genauer zu bestimmen. Im folgenden Abschnitt kommt dieser Zeuge dann aber noch viel ausgiebiger zu Wort. Es soll dann mit seiner Hilfe die Qualität der lateinischen Übersetzung geprüft werden.

Für den Vergleich zwischen koptischem und griechischem Text stehen außer den Zitaten aus Brief 1 und 10 nur die Briefe 10 und 11a zur Verfügung. Daß die Zitate aus Brief 1 (bei Horsiese und Schenute) in einem Punkt der griechischen Übersetzung überlegen sind, wurde schon oben gesagt (S. 47 und 48).

Von den Briefen, deren Text wir koptisch und griechisch vollständig besitzen, besteht der eine, die Nummer 11a, praktisch aus Schriftzitaten. Hier ist von vornherein damit zu rechnen, daß der Übersetzer an den ihm geläufigen Bibeltext anpaßt. Dies ist dann auch in der Tat bei der Übersetzung von Pachoms Brief 11a zu beobachten. So liest etwa die saïdische Proverbienübersetzung 27,13a »deinen Mantel« und ebenso auch Pachom im Brief 11a (Text unten S. 115). Die griechische Übersetzung der Pachombriefe hat jedoch an dieser Stelle mit der LXX wieder »seinen Mantel« (Rs. 46). An derselben Stelle hat die saïdische Proverbienübersetzung und dementsprechend auch Pachom im Brief 11a beim Verb »vorübergehen« den Terminus »an dir« (Text unten S. 115), den die griechische Übersetzung der Pachombriefe mit der LXX dann wieder wegläßt. In anderen Fällen unterbleibt aber eine solche Angleichung, und die koptische Vorlage wird noch in der griechischen Übersetzung greifbar. Das ist etwa schon im selben Vers (Spr 27,13b) der Fall. Dort steht in der griechischen Übersetzung von Pachoms Brief 11a nicht das ὅστις τὰ ἀλλότρια λυμαίνεται der LXX, sondern vielmehr καὶ ἑτέρους γὰρ ἀτιμάζει (Rs. 47), was genau den koptischen Text des Pachombriefes wiedergibt (Text unten S. 115), der seinerseits wieder mit der saïdischen Proverbienübersetzung übereinstimmt. Rs. 36 könnte man so die vom LXX-Psalter (Ps 32,13a) abweichende Wortstellung erklären, die der des koptischen Pachomtextes (Text unten S. 115) und des saïdischen Psalters entspricht. Wenn Rs. 50 in dem Zitat aus Hab 1,13b ἕως πότε steht und nicht das ἵνα τί der LXX, so ist dafür wieder der koptische Text von Pachoms Brief 11a die Ursache, der hier »bis wann« hat (Text unten S. 115). Diesmal scheint Pachom aber nicht dem saïdischen Bibeltext zu folgen, denn insofern uns dieser für Hab 1,13 bekannt ist[1], liest er wie die LXX »weswegen«. Aufs ganze gesehen kann man sagen, daß die griechische Übersetzung von Pachoms Brief 11a den koptischen Text ziemlich treu wiedergibt.

Auch bei Brief 10 herrscht weitgehende Übereinstimmung zwischen koptischem und griechischem Text. Wenn in der griechischen Handschrift am Schluß »die Erde« fehlt (Rs. 33), so kann nur ein Fehler des Kopisten vorliegen[2]. Für das recht vieldeutige τοπ[3] ist das griechische ἀγκάλη (Rs. 18) keine genaue Entsprechung. Die wichtigste Abweichung dürfte ἐνεδρεύουσι ... αἱ εὐθηνίαι τῆς γῆς sein (Rs. 19), wofür im Koptischen steht: »... indem sie (die Oikonomoi) ... den Überflüssen der Erde ... nachstellten« (Text unten S. 113). Dabei ist die

---

[1] W. Till, in Le Muséon 50 (1937) 218.

[2] Auffällig ist, daß auch in einem der beiden koptischen Zeugen der ganze Schlußsatz »Und mit diesen wurde die Erde bevölkert« zu fehlen scheint. Aber die betreffende koptische Handschrift enthält verschiedene Verderbnisse (siehe oben S. 43 f.).

[3] W. Westendorf, Koptisches Handwörterbuch (Heidelberg 1965 ff.) gibt »Rand, Einfassung, Saum, Kante, Kiel, Falte, Schoß, Busen«.

Wortstellung des Griechischen genau die des Koptischen. Es könnte scheinen, daß der griechische Übersetzer entweder das ε- des koptischen Textes als ⲡⲟϭⲓ mißverstanden hat oder vielleicht sogar schon eine solche koptische Vorlage vor sich hatte. Da bei einem so änigmatischen Text die Beurteilung von Varianten nach inneren Kriterien sehr prekär ist, sollte man zunächst davon ausgehen, daß der erhaltene koptische Text ernst genommen zu werden verdient.

Es ist zu bedauern, daß uns nicht eine größere Textmenge für den Vergleich des koptischen Originals mit der griechischen Übersetzung zur Verfügung steht. Es ist nämlich die Frage, ob wir die bei den beiden Briefen 10 und 11a gewonnenen Ergebnisse ohne weiteres verallgemeinern und die griechische Übersetzung der Pachombriefe als ganze für so treu halten dürfen, wie sie in diesen beiden Briefen ist. Wie wir bei der lateinischen Übersetzung sehen werden, können verschiedene Partien mit sehr unterschiedlicher Genauigkeit übersetzt sein. Und gerade in den Briefen 10 und 11a folgt auch die lateinische Übersetzung einigermaßen treu der griechischen, die uns durch die Chester-Beatty-Handschrift bezeugt ist. Wir brauchen aber wohl bei der griechischen Übersetzung nicht allzu ängstlich zu sein, eine gleichbleibende Treue für alle Teile anzunehmen. Diese Übersetzung kann nicht direkt mit der des Hieronymus verglichen werden. Ein Mann von der Bildung, den Anlagen und dem Temperament des Hieronymus drückt einer Übersetzung in einem ganz anderen Maße seinen persönlichen Stempel auf als ein anonymer ägyptischer Übersetzer des 4. Jahrhunderts. Zumindest vorläufig darf man annehmen, daß die griechische Übersetzung durchgehend etwa so treu ist wie bei den beiden Briefen, bei denen wir ihre Genauigkeit kontrollieren können.

Einige Fehler der griechischen Handschrift läßt die lateinische Übersetzung erkennen bzw. mit mehr oder weniger großer Wahrscheinlichkeit vermuten. Das von mir auf Zeile 6 eingefügte ἤ(τοι) wird durch das »hoc est« (77,14 Boon) der lateinischen Handschriften ME gestützt (die Handschriften WX haben es indessen nicht, stützen also den Text der griechischen Handschrift). Es ist schwer zu sagen, ob das ὅ ἐστιν ἐξ αὐτῶν von Zeile 9 richtig ist oder nach dem lateinischen »quod prae-cipuum est ex eis« (77,17 Boon) verbessert werden muß. Viel-leicht ist auf Zeile 40 nach δῶναι entsprechend dem lateinischen Text (79,18 Boon) (τοῖς?) συνδούλοις (αὐτοῦ?) zu ergänzen. Nach dem τὸ μνημόσυνον von Zeile 98 ist wohl κατέλιπεν zu ergänzen (latein. »relinquens« 82,9 Boon) und auf Zeile 175 nach ἐπὶ τῆς γῆς vermutlich κάτω (latein. »deorsum« 85,11 Boon). Auch das schon vorher genannte »die Erde«, das am Schluß von Brief 10 ausgefallen ist (Rs. 33), steht in der lateinischen Übersetzung (100,4 Boon).

Auch der griechische Wortlaut selbst legt verschiedentlich die Annahme von Textverderbnissen nahe, doch sollen in dieser Erstausgabe keine Konjekturen diskutiert werden.

3. Der lateinische Text[1]

Um die Qualität der Hieronymusübersetzung zu beurtei-len, muß man sie natürlich mit ihrer unmittelbaren Vorlage, einem griechischen Text, konfrontieren, nicht mit dem kopti-schen Original. Ob allerdings der Text der einzigen bisher be-kannten griechischen Handschrift, der hier zu veröffentlichen-den Chester-Beatty-Handschrift, die Vorlage des Hieronymus war, bedarf selbst der Prüfung. Wenn im folgenden, auch um der Einfachheit des Ausdrucks willen, von Anfang an davon ausgegangen wird, daß Hieronymus eine Vorlage wie den grie-chischen Text der Chester-Beatty-Handschrift vor sich hatte, so ist das zunächst nicht mehr als eine Hypothese.

Bei Brief 11a zeigt Hieronymus, ganz im Gegensatz zum griechischen Übersetzer, keinerlei Neigung, die Schriftzitate dem vertrauten Bibeltext[2] anzupassen. So heißt es etwa gleich im ersten Zitat (Koh 1,7a) nicht »flumina intrant«, sondern »torrentes

---

[1] Einzelheiten zur lateinischen Überlieferung sind in der Ein-leitung bei Boon, Pach. lat., einzusehen. Einige wichtigere Punkte daraus sind weiter unten resümiert; vgl. vor allem S. 69.

[2] Der Vulgata. Die betreffenden alttestamentlichen Bücher hatte Hieronymus zur fraglichen Zeit schon übersetzt.

vadent« (100,8 f. Boon), und zwar sicher im Anschluß an den griechischen Text des Pachombriefes (Rs. 35), der in Übereinstimmung mit der LXX liest οἱ χείμαρροι πορεύονται. Kleinere Abweichungen von der Vorlage sind etwa »requiescit« (100,16 Boon) gegenüber dem Futur der griechischen Handschrift (Rs. 48) oder »deficere disciplinam« (100,14 Boon) gegenüber ὁ ὑστερούμενος παιδείας (Rs. 44 f.). Die auffälligste Abweichung ist das »facit iudicium« (100,13 Bonn) statt »er erfreut seinen Vater« (Rs. 43), wofür aber nicht unbedingt Hieronymus verantwortlich zu machen ist. Hier hat das vorausgehende Zitat, das mit »facere iudicium« endet, eingewirkt, und das Versehen könnte natürlich schon bei der Abschrift des griechischen Textes wie auch erst später bei der des lateinischen passiert sein.

Auch bei Brief 10 folgt der lateinische Text ziemlich genau dem griechischen. Immerhin entfernt er sich etwas weiter von diesem als dieser selbst vom koptischen. Vieles sind Kleinigkeiten ohne inhaltlich Nuance wie z. B. »filii hominum« (99,14 Boon) für »Menschen« (Rs. 20). Das oben S. 53 genannte ἀγκάλη wird nun »ascella« (99,12 Boon). Die Bedeutung von οἱ οἰκονόμοι (Rs. 17) hat Hieronymus durch die Übersetzung mit »monasteriorum principes« (99,11 Boon) stärkstens eingeschränkt, aber er mag mit dieser Festlegung auf einen Fachausdruck des pachomianischen Klosterwesens im Recht sein[1]. Vielleicht wollte Hieronymus aber doch auch etwas Klarheit in änigmatische Formulierungen seiner Vorlage bringen. Der folgende Satz mit seiner schillernden Mehrdeutigkeit entspricht ganz dem Genus des 10. Briefes: »Sie bereiteten Schlingen ihren Füßen, einen Bogen für ihre Hände und eine Axt für ihre Schulter« (Rs. 23 f.). Die lateinische Übersetzung holt wenigstens das letzte Glied mit »... et securim humero portaverunt« (99,18 Boon) wieder auf den Boden des Konkret-Eindeutigen zurück. Recht farblos wirkt die Übersetzung von συνῆξαν (Rs. 32) durch einfaches »tulerunt« (100,3 Boon). Aufs ganze gesehen muß man sagen, daß die Übersetzung dieses völlig unverständlichen Briefes noch recht genau ist. Kühnere Versuche, den

---

[1] Es wäre auch wohl nicht leicht ein lateinischer Ausdruck zu finden, der ebenso offen ist wie der griechische.

Text verständlich zu machen, hat Hieronymus jedenfalls nicht unternommen.

Weiterhin erweist sich auch bei Brief 1 die Übersetzung des Hieronymus als recht gut. Der griechische Text ist entweder wörtlich oder sinngemäß wiedergegeben. So typisch griechische Wörter wie ἀπροφάσιστος und ἄμεμπτος (Z. 1) mußten natürlich umschrieben werden, hier mit »absque ullis occasionibus bonus« (77,9 Boon) und »sine omni querela«[1]. Νηπιότης (Z. 15 f.) beispielsweise wird als »innocentia« nuanciert (78,4 Boon) oder διδόναι (Z. 12) als »offerre« (78,2 Boon). Ausnahmsweise sieht es auch bei diesem Brief, der nun allerdings wegen der »Buchstaben« der »Geheimschrift« unverständlich ist, so aus, als hätte Hieronymus den sinnlosen Sätzen etwas Ausdruck verleihen wollen. So ist Z. 17 f. von dem Buchstaben c die Rede: ὅπερ καλεῖται ῶ[2] καὶ αὐτὸ ἐστιν κοινωνὸν τοῦ p. Hieronymus macht daraus: »vocatur quidem C, sed habet communionem cum P.«[3] Vielleicht sind bei dem unverständlichen Text selbst Pronomina falsch bezogen worden. Für das ἐν αὐτῇ von Z. 19, das sich auf nichts anderes als das vorausgehende μερίς (Z. 18) beziehen kann, hat der lateinische Text »in eo« (78,7 Boon), was nun jedenfalls nicht mehr zu »pars« paßt. Es wäre indes zu fragen, ob Hieronymus' Test hier korrekt überliefert ist.

Bevor die Briefe besprochen werden, in denen die lateinische Übersetzung stärker vom griechischen Text abweicht, soll auf einige allgemeine Charakteristika der Hieronymusübersetzung hingewiesen werden[4]. Ganz allgemein ist eine deutliche Tendenz zum Umschreiben und Amplifizieren festzustellen. Hieronymus liebt es z. B., Modalverben und Ähnliches hinzu-

---

[1] 77,9 f. Boon. Eine Handschrift ohne »omni«.

[2] Ein unverständliches Zeichen, das vielleicht koptisch sein soll (vgl. unten S. 78 f.).

[3] 78,6 f. Boon. — Im griechischen Text folgt dann unmittelbar ἐχαρίσατο, im lateinischen nach der Ausgabe »quia P donavit«. Aber die Angaben des Apparats sind mir nicht klar, und ich bin so nicht sicher, welche handschriftliche Bezeugung dahinter steht.

[4] Es werden dazu jetzt alle Briefe herangezogen, ohne daß jeweils angegeben werden müßte, aus welchem Brief ein Beispiel genommen ist.

zufügen. Man vergleiche etwa folgende Stellen. Für ἵνα ...
ἀναγνῷς (Z. 28) hat er »ut ... possis legere« (79,2 Boon), für
μὴ ἐπαῖρον (Rs. 22) »quae non possit elevari«[1] oder für μὴ γράψῃς
(Z. 29) »cave, ne scribas« (79,3 Boon). Dabei ist durchaus zuzu-
geben, daß die Übersetzung so den gemeinten Sinn mehrfach
besser trifft. Weit seltener ist zu beobachten, daß Hieronymus
umgekehrt ein Modalverb des Griechischen wegläßt, nämlich mit
einfachem »qui aedificavit« (83,16 Boon) für τῷ βουλευσαμένῳ
οἰκοδομῆσαι (Z. 132) und mit »portasti« (85,15 Boon) für ἔκρινας
ἆραι (Z. 178). Mehrfach fügt Hieronymus »viel«, »alle« u. ä. hinzu;
vgl. etwa »ruinae plurimae« (80,14 Boon) für πτωχεία[2], »cuncta
dona«[3] für »Gaben« (Z. 13) oder »omne gaudium« (78,3 Boon)
für εὐφροσύνη (Z. 13). Auch kommt gelegentlich der umgekehrte
Fall vor: einfaches »parabolas« (83,4 f. Boon) für »alle Gleich-
nisse« (Z. 116 f.). Verwandt hiermit ist der häufige Superlativ
gegenüber dem Positiv des griechischen Textes, so »confiden-
tissimos« (80,1 f. Boon) für θρασεῖς (Z. 43) oder »saeculum im-
pudentissimum« und »... procacissimum« (77,15 f. Boon) für
die beiden Vorkommen von ὁ αἰὼν ὁ ἀναιδής (Z. 7). Das letzte
Beispiel zeigt zugleich ein anderes Phänomen, den Wechsel
im Ausdruck. Hier noch einige weitere Beispiele. Von den zwei
Vorkommen von πνεῦμα auf Zeile 2 ist das erste mit »spiritus«,
das zweite mit »anima« wiedergegeben (77,10 Boon) oder bei
φρύγανα von Zeile 167 das erste als »surculi« (85,3 Boon), das
zweite als »leves stipulae« (85,4 Boon). Wiederum nur ausnahmsweise gleicht Hieronymus umgekehrt zwei verschiedene Ausdrücke des Griechischen aneinander an, wenn er nämlich sowohl das προσφέρειν von Zeile 125 als auch das διδόναι von Zeile
126 mit »offerre« übersetzt (83,12 und 13 Boon). Häufig fügt
Hieronymus das in klassischer Sprache auch im Lateinischen
an sich entbehrliche Possessivum hinzu, wo es im Griechischen
fehlt; so etwa bei »para domum tuam« (79,15 Boon; griech. Z.

---

[1] 99,16 Boon. Nur wenig später übersetzt er denselben griechischen Ausdruck (Rs. 27) mit »quae non elevatur« (99,21 f. Boon).

[2] Z. 58; vermutlich als πτῶμα verlesen oder verschrieben.

[3] 78,2 Boon. Im überlieferten lateinischen Text fehlt gegenüber
dem griechischen »des Zeltes«.

37). Auch hier kommt das Umgekehrte nur ausnahmsweise vor, z. B. einfaches »oculos« und »cor« (96,17 Boon) für »seine Augen« (Rs. 4) und »sein Herz« (Rs. 5)[1]. Öfter löst Hieronymus Pronomina auf wie etwa »posteris« (82,7 Boon) für das »ihnen« des griechischen Textes (Z. 96). So steht auch »dominum« (100, 10 f. Boon) statt »ihn« (Rs. 38), was aber angesichts des vorausgehenden »domino« nicht besonders gut klingt. Man kann sich fragen, ob Hieronymus in der Tat eine solche Formulierung zu verantworten hat[2]. Es ist zweifelhaft, ob bei der Auflösung von Pronomina immer das Richtige getroffen wurde. Wenn im griechischen Text von Brief 7[3] steht, daß »viele sie (Pl.) zu tun begehren« (Rs. 5), so sind »sie« ganz eindeutig die vorher genannten »Gebote«. Bei Hieronymus wird daraus: »multi enim sunt, qui desiderant quidem bona« (96,17 f. Boon; vgl. auch unten S. 61 f.).

Nach den bisherigen Feststellungen kann man sagen, daß die Hieronymusübersetzung aufs ganze gesehen sicher nicht schlecht ist. Sie ist nicht sklavisch, sondern etwas frei, auch wo das nicht unbedingt nötig scheint. Sie verfehlt den Sinn nicht eigentlich, ja, hier und da bringt sie ihn sogar noch deutlicher heraus. Ein Gedanke kann unterstrichen und Abwechslung in den Ausdruck gebracht werden, es wird nuanciert und leicht interpretiert. Im ganzen also ein eher positives Urteil. Das Bild wandelt sich aber doch erheblich, wenn man

[1] Unmittelbar vorher steht im lateinischen Text »aurem suam«, dem im griechischen einfaches οὖς entspricht (Rs. 4). Man möchte meinen, daß der lateinische Text konsequenter ist, wenn er beim erstmöglichen Vorkommen das reflexive Possessiv setzt und dann später jeweils wegläßt, während der griechische Text es zunächst wegläßt und dann in den beiden folgenden Fällen setzt. Vielleicht hat es im griechischen Text ursprünglich überall gestanden und ist dann im ersten Fall nur versehentlich von einem Abschreiber weggelassen worden.

[2] Eine lateinische Handschrift (W) hat »deum« (über der Zeile nachgetragen). Sollte die Hieronymusübersetzung ursprünglich »eum« gehabt haben?

[3] Man beachte, daß griechischer und lateinischer Text hier stark differieren und Hieronymus wohl kaum eine Vorlage wie die Chester-Beatty-Handschrift hatte.

die übrigen Briefe in die Betrachtung einbezieht. Zum Teil werden wir dort das Gesagte bestätigt finden, zum Teil werden wir aber auch auf Stellen und Abschnitte stoßen, bei denen die Übersetzung viel freier ist und oft kaum noch etwas mit der Vorlage zu tun hat. Vor allem der lange Brief 3 bietet viele Stellen dieser Art. Das kann hier nicht in seinem ganzen Umfang dargestellt werden. Einige wenige Beispiele müssen stellvertretend für die große Zahl ganz erheblicher Differenzen zwischen griechischem und lateinischem Text stehen. In welchem Maß die beiden Versionen voneinander abweichen, kann man unmittelbar ersehen, wenn man für einen beliebigen längeren Passus aus Brief 3 den griechischen und lateinischen Text miteinander vergleicht.

Zunächst sei aber noch an ein Beispiel aus Brief 2 erinnert, das schon oben S. 37 (mit Anm. 3) herangezogen wurde und das zeigen kann, wie selbst geringfügig erscheinende Unterschiede ihre Bedeutung haben können. Das τὰ γράμματα (Z. 28) wird unter Hieronymus' Feder »quae scripta sunt« (79,2 f. Boon). Insofern die Möglichkeit, ja eine große Wahrscheinlichkeit besteht, daß Pachom hier von den »Buchstaben« seiner »Geheimschrift« spricht, hat Hieronymus, der dies in der Übersetzung völlig verwischt, ein wichtiges Element verschwinden lassen. Seine Übersetzung scheint einen griechischen Text wie τὰ γεγραμμένα (statt τὰ γράμματα) vorauszusetzen, aber nach allem, was wir über Hieronymus' Übersetzungweise schon gesehen haben und noch sehen werden, ist es unwahrscheinlich, daß seine Vorlage tatsächlich diese Lesart hatte. Es würde jedenfalls durchaus zur Übersetzungpraxis des Hieronymus passen, eine solche Nuance unter den Tisch fallen zu lassen.

Auch im 3. Brief gibt es natürlich eine große Reihe von Varianten im lateinischen Text gegenüber dem griechischen, die den Sinn kaum oder gar nicht verändern. So etwa bei »quasi sanguis sanguini misceatur« (81,1 Boon) gegenüber ἐκχέων αἷμα ἐφ' αἵματι (Z. 64 f.), was sich ohne Schwierigkeit hätte wörtlich übertragen lassen. Bisweilen könnte man sich fragen, ob der damalige Sprachgebrauch nicht Nuancen kannte, die uns heute entgehen. Es fällt etwa auf, daß das zweimal vorkommende κυβερνᾶν (Z. 92 und 133) beide Male mit »servare«

übersetzt ist (82,3 und 83,17 Boon). Vieles andere scheint hingegen indiskutabel, wie z. B. »seducti sunt« (81,13 Boon) für κατέπαιξαν αὐτῶν (Z. 75 f.). Man fragt sich etwa, wie es möglich ist, von ἐν τῷ ναῷ, ὑπὲρ οὗ μάχονται μετὰ τοῦ Χριστοῦ, ἐὰν μὴ καταστραφῇ (Z. 143) zu »... in templo, in quo contra Christum pharisaeorum est congregata impietas. Scriptum est ...« (84,3 f. Boon) zu kommen. Manchmal scheinen sich in der lateinischen Übersetzung alle Einzelelemente des griechischen Textes wiederzufinden, aber völlig neu kombiniert. So in »non in cibis temporalibus, neque in ulla similitudine eorum, quae videntur in caelo sive in terra« (79,12 f.) für οὐκ ἐν βρώμασιν προσκαίροις οὐδὲ ἀποβλέπειν (?) εἰς ὁμοίωσιν οὐδενὸς τῶν ἐν τοῖς οὐρανοῖς ἢ τῶν ἐπὶ τῇ γῇ (Z. 34 f.). Stellt man in diesem Fall die Frage, was den Übersetzer hier zu der abweichenden Wiedergabe veranlaßt haben könnte, dann könnte man den Grund in Schwierigkeiten der griechischen Vorlage vermuten, vor allem in dem unklaren Infinitiv (?) αποβλεπιν. Das wäre dann ein gewisses Indiz dafür, daß tatsächlich ein griechischer Text wie der der Chester-Beatty-Handschrift die Vorlage der lateinischen Übersetzung gewesen sein könnte. Relativ oft ist die lateinische Fassung länger als die griechische, so etwa »volentium aedificare turrem superbiae ad caelum usque tendentem, et orientalem plagam relinquentium« (83,22 f. Boon) statt ἐβούλευσαν τὸν πύργον οἰκοδομῆσαι, ἵνα τὰς ἀνατολὰς καταλείψωσιν (Z. 139 f.). Weit seltener hat die lateinische Fassung einen kürzeren Text. So fehlt ihr (83,7 Boon) jede Spur von ἠνέχθη πάντα πρὸς αὐτόν (Z. 120).

Beim 7. Brief sind die Abweichungen noch markanter. Hier stehen besonders im ersten Teil, etwa bis zu der großen Lücke des griechischen Textes, beide Versionen gerade noch inhaltlich in erkennbarem Zusammenhang. Die Formulierungen sind auf beiden Seiten völlig verschieden. Das braucht hier nicht exemplifiziert zu werden. Es genügt, die beiden Texte nebeneinander zu lesen. Im Schlußteil, nach der Lücke des griechischen Textes, stehen die beiden Versionen einander dann näher. Doch fehlen auch hier stärkere Divergenzen nicht. Man vergleiche etwa »ut possit implere, quod dicitur« (96,17 Boon) gegenüber ἵνα πρὸ ὀφθαλμῶν ἔχῃ τοῦ ποιεῖν αὐτάς (Rs. 5 f.)[1]. Überhaupt weist der Schluß in beiden Versionen wieder starke Unterschiede auf (griech. Rs. 10 ff.; latein. 96,21 ff. Boon). Über den mittleren Teil, der im griechischen Text verloren ist, wissen wir natürlich nichts Genaues. Es will aber scheinen, daß die Texte unmittelbar vor der Lücke des griechischen Textes wieder näher zusammenkommen (griech. Z. 197 f. = latein. 95,21 f. Boon), etwa in der Art, die in einem guten Teil des Schlußabschnitts zu beobachten ist. Auf dieser Voraussetzung beruht die Berechnung über den Umfang des verlorengegangenen Stückes (unten S. 76 f.).

Bei einigen Briefen können wir nur direkt das koptische Original vergleichen, ohne daß uns das griechische Zwischenglied bekannt wäre. Dies ist bei den Briefen 8, 9a, 9b und 11b der Fall, die jedoch alle bis auf den zuerst genannten nur sehr fragmentarisch erhalten sind. Bei dem auch koptisch vollständig erhaltenem Brief 8 sind die Abweichungen der lateinischen Übersetzung von diesem koptischen Text wieder beträchtlich. Hier zum Vergleich einige der wichtigeren Passagen in Übersetzung (Text unten S. 112):

Achtet also auf den Sogearteten, der der Sünde gebot, die wider ihn stritt. Nicht folgte er dem Trug seiner Augen.	Quem debemus imitari, quia vicit carnem suam prostravitque peccatum et oculorum calcavit insidias (97,3–5 Boon).
... auf daß er ... sich den Ruhm der Gottesverehrung erwerbe.	... ut ... captivitatem libertate mutaret (97,7 Bonn).
Seht also ... wie er (Gott) seine (Josefs) Drangsale beendete. Gott vergaß seiner nicht.	Unde et ille, adolescens atque in lubrico aetatis positus, quem carnis blandimenta non vicerunt, vicit vinculas et carceres, et in loco angustiae placuit deo (97,8–10 Boon).

Soweit es der fragmentarische Zustand bei den drei restlichen Briefen erkennen läßt, bestehen auch im Fall von Brief 11b größere Divergenzen zwischen lateinischer Übersetzung und

---

[1] Rs. 5 f. Das Pronomen nimmt »die Gebote« wieder auf. Der unmittelbar folgende Satz ist schon oben S. 59 in anderem Zusammenhang herangezogen worden.

koptischem Original, während die Versionen sich bei den Briefen 9a und 9b bedeutend näher zu stehen scheinen[1].

Es ist nicht leicht, sich aus den angeführten Daten ein ausgewogenes Urteil über die Hieronymusübersetzung zu bilden. Ein solches kann auf jeden Fall nur vorläufig sein. Sollte uns einmal noch weiteres Material zugänglich werden, was keineswegs ausgeschlossen ist, so wird möglicherweise manches klarer werden, vieles aber auch in anderem Licht erscheinen. Vorerst führt der Vergleich des überlieferten lateinischen Textes mit dem griechischen Text der Chester-Beatty-Handschrift zu einem recht auffälligen Ergebnis. Auf der einen Seite stehen Abschnitte (Brief 1, 10 und 11a), bei denen man unmittelbar annehmen kann, daß dieser griechische Text an der Basis der lateinischen Übersetzung steht und auch mit relativ großer Treue übersetzt wurde. Auf der anderen Seite stehen Abschnitte (besonders in Brief 7), bei denen es schwer vorstellbar ist, daß der griechische Text die Vorlage der lateinischen Übersetzung war, selbst wenn man eine noch so freie oder gar unbekümmerte Übersetzungspraxis annehmen wollte. Wir haben aber auch Abschnitte (besonders Brief 3), die zwischen diesen Extremen stehen. Würde man hier voraussetzen, daß die Vorlage des Hieronymus ein Text wie der der Chester-Beatty-Handschrift war, dann muß man auch annehmen, daß Hieronymus weithin sehr frei und auch wenig präzis übersetzt hat.

Mit dem heute bekannten Material können wir noch zu keinem Urteil darüber kommen, ob unsere griechischen und lateinischen Texte in etwa der Form, in der sie auf uns gekommen sind, zueinander im Verhältnis von Vorlage und Übersetzung stehen. Folgende Fakten sind auf jeden Fall in Rechnung zu stellen. Die griechische Handschrift ist sehr alt, noch älter als die Übersetzung des Hieronymus (vgl. unten S. 77 f.). Die Möglichkeit, daß sie eine griechische Textform enthält, die sich erst später herausgebildet hätte oder durch Rezension erstellt worden wäre, scheidet also von vornherein aus. Es ist auch wenig wahrscheinlich, daß schon so früh, ein halbes Jahr-

---

[1] Für Einzelheiten vgl. Quecke, Neues Fragment 77–79 (Brief 11b) und 80–82 (Brief 9a und 9b).

hundert nach Pachoms Tod, stark verschiedene griechische Textformen vorgelegen haben sollten. Damit wird es recht unwahrscheinlich, daß die griechische Handschrift der Chester Beatty Library eine ganz andere Textform repräsentieren könnte als die, die Hieronymus vor sich hatte. Es ist ebenfalls nicht sehr wahrscheinlich, daß von den Pachombriefen schon gleich stark voneinander abweichende Übersetzungen angefertigt worden sein könnten, falls man überhaupt mit der Möglichkeit rechnen will, daß diese spröden Texte mehrfach aus dem Koptischen übersetzt worden sein könnten. So legt sich zunächst einmal die Annahme nahe, die zu beobachtenden Unterschiede könnten am ehesten bei der Übertragung vom Griechischen ins Lateinische entstanden sein. Die Schwierigkeit dabei ist, daß die Abweichungen zum Teil so stark sind, daß man sie weder einem Berufsübersetzer, der doch sein Metier einigermaßen beherrscht haben wird, noch Hieronymus zutrauen möchte, selbst wenn letzterer sich größte Freiheiten erlaubt haben sollte.

So könnte der Blick sich auf eine andere Möglichkeit konzentrieren, daß nämlich der lateinische Text von Hieronymus' Übersetzung der Pachom- und Pachomianerschriften im Laufe der Überlieferung stark verändert wurde und der uns heute vorliegende Text in vielem nicht mehr mit dem seinerzeit von Hieronymus erstellten übereinstimmt. Nun gehen nach Boon in der Tat alle unsere Handschriften auf ein und denselben Archetyp zurück, doch scheinen sie dessenungeachtet den ursprünglichen Text der Hieronymusübersetzung ziemlich treu überliefert zu haben (vgl. unten S. 69 mit Anm. 3). Und es wäre in der Tat wenig wahrscheinlich, daß der von Boon gemeinte Archetyp etwa so stark vom ursprünglichen Text der Hieronymusübersetzung abgewichen sein sollte, wie der uns bekannte lateinische Text nun an vielen Stellen und auch längeren Passagen vom griechischen Text der Chester-Beatty-Handschrift abweicht. Aber selbst wenn man mit einer solchen Möglichkeit rechnen wollte, dann bliebe es immer noch völlig unwahrscheinlich, daß gerade die Briefe bei einer etwaigen Rezension in so großem Ausmaß betroffen worden sein sollten. Am ehesten könnte man Eingriffe bei den Regeltexten erwarten,

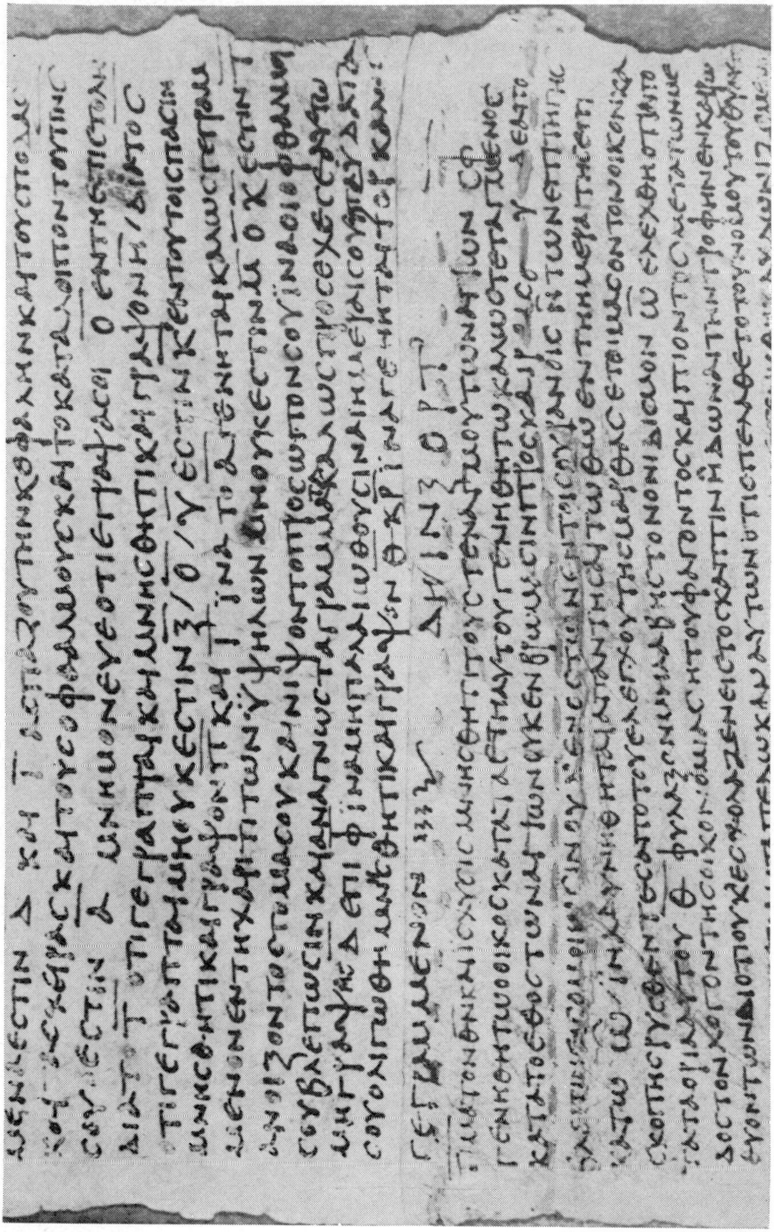

Abb. 1

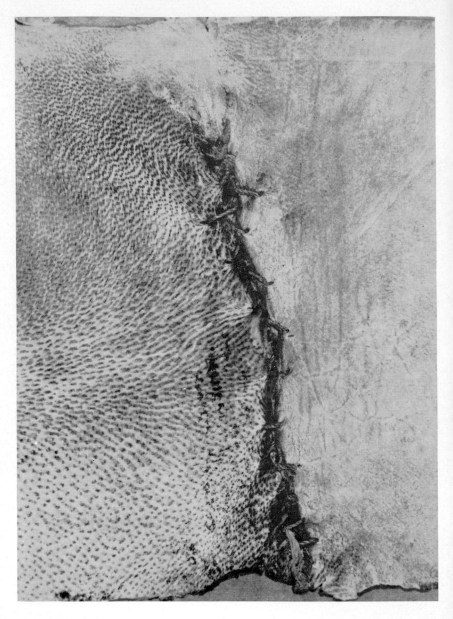

Abb. 2

Abb. 3

Zu den Tafeln
(Maßstab 1 : 1)

Taf. 1 soll in erster Linie einen Eindruck von der Schrift vermitteln. Sie gibt Zeile 20–40 der Vorderseite wieder. Der Ausschnitt wurde gewählt, um den Übergang zur feineren »Feder« am Beginn von Brief 3 zu zeigen. Zugleich ist das mir unklare Zeichen (= καί?) gegen Schluß von Zeile 29 zu sehen. Außerdem kommt eine der Nähte (Blatt 1/2) ins Bild.

Taf. 2 und 3 sollen die Schriftspuren auf der Rückseite von Blatt 4 zeigen. Obwohl die Abbildungen das Orginal natürlich nicht ersetzen, kann der Benutzer danach wohl abschätzen, wie gering die Chancen sind, daß diese Schriftreste doch noch gelesen bzw. lesbar gemacht werden können. Taf. 2 gibt einen Ausschnitt aus der oberen Hälfte von Blatt 4. Zugleich kann man die schlechte Stelle im Pergament sehen und wie sie geflickt ist. Auf Taf. 3 folgt ein Ausschnitt aus der unteren Blatthälfte. Hier ist auch (links!) einigermaßen deutlich die rechte Kolumnenbegrenzung zu erkennen, aus der zu ersehen ist, inwieweit der rechte Rand im mittleren Teil der Rolle beschädigt ist.

die eine gewisse praktische Bedeutung für die Mönchskreise haben konnten, die sie überlieferten. Warum sollte man in den ziemlich uninteressanten Text der Briefe eingegriffen haben? Auch daß ihr Text weithin unverständlich ist, bedeutete noch keine Einladung dazu, ihn verständlicher zu machen. Das muß man der Tatsache entnehmen, daß gerade von den unverständlichen Abschnitten in unseren griechischen und lateinischen Texten ein recht gut übereinstimmender Wortlaut vorliegt[1].

Kann man auch zu keinem abschließenden Urteil kommen, so möchte ich, wie schon angedeutet, vorläufig annehmen, daß Hieronymus zumindest weitgehend für die starken Divergenzen zwischen unserem griechischen und lateinischen Text verantwortlich ist. Wir finden alle Schattierungen von einer sehr genauen Übersetzung, über eine etwas freiere, umschreibende, amplifizierende, dann interpretierende und schließlich noch freiere Wiedergabe bis hin zu markanten Abweichungen, so daß es unmöglich scheint, eine Grenze zu ziehen. Und einen guten Teil der freieren Übersetzungen kann man Hieronymus durchaus zutrauen[2]. Es würde sich nur ein relativ kleiner Rest (vor allem Brief 7) ergeben, bei dem ich etwas zögere, eine so freie Übersetzung Hieronymus anzulasten. Man muß sich aber darüber im klaren sein, daß man auch ohne den 7. Brief Hieronymus dann eine große Zahl von sehr frei, teilweise sogar ungenau und selbst fehlerhaft übersetzten Stellen zuschreibt. Andererseits darf man auch nicht den besonderen Charakter der Briefe aus dem Auge verlieren. Ihr weithin sinnloser und im übrigen recht unergiebiger Inhalt kann den Übersetzer

---

[1] Anders ist das nur bei Brief 11b, wo wir allein den koptischen und lateinischen Text besitzen.

[2] Schon bei der Übersetzung der Regeln wurden Hieronymus beachtliche Freiheiten nachgewiesen. Vgl. etwa Bacht, Verkanntes Fragment 16–18; Veilleux, Liturgie 120–122, 296 f., 368 f.; M M Van Molle, Supplément de la Vie spirituelle 86 (1968) 110–213. Man darf allerdings nicht übersehen, daß es hier um Vergleiche von Hieronymus' lateinischer Übersetzung mit dem erhaltenen (oder postulierten) koptischen Original geht, nicht um den mit einer griechischen Vorlage.

leicht dazu verführen, mit einer gewissen Unbekümmertheit
zu Werke zu gehen.

Es wäre dann noch zu fragen, ob sich das alles mit dem
vereinen läßt, was Hieronymus über seine Arbeit an der Übersetzung der Pachom- und Pachomianerschriften sagt. Schließlich darf man nicht über das hinweggehen, was Hieronymus
selbst in der Präfatio zur Übersetzung hierzu mitteilt. Über
die Art und Weise, wie die Niederschrift der Übersetzung von-
statten ging, sagt Hieronymus:»... accito notario, ut erant
de aegyptiaca in graecam linguam conversa, nostro sermone
dictavi« (§ 1; 4,14 – 5,1 Boon). Dieser Angabe glaubt man entnehmen zu können, ob Hieronymus seine Übersetzung nach einem
schriftlich vorliegenden griechischen Text oder mithilfe eines
Dolmetschers nach einer koptischen Vorlage anfertigte. Und
aus solchen Feststellungen können sich Folgerungen für die
Qualität der Übersetzung ergeben. Wenn der Übersetzer direkt
nach einer schriftlichen Vorlage arbeiten kann, erwartet man
eine größere Genauigkeit, als wenn er von dem flüchtigen Wort
eines Dolmetschers abhängt. Ich glaube nun, etwa mit Veilleux[1], nicht, daß die Hieronymusstelle durchblicken läßt,
die Übersetzung sei mithilfe eines Dolmetschers nach einer
koptischen Vorlage entstanden[2]. Immerhin wird diese Ansicht
auch vertreten[3], und es ist deshalb sehr hilfreich, daß wir zur
Feststellung des Tatbestandes nicht auf diese eine Stelle an-
gewiesen sind. Hieronymus spricht an zwei anderen Stellen
ausdrücklich davon, daß von den Pachombriefen bzw. den
Pachomianerschriften schon eine schriftliche griechische Übersetzung vorlag. Von den übersetzten Pachomianerschriften
allgemein sagt Hieronymus:»... aegyptiacum graecumque
sermonem, quo Pachomii et Theodori et Orsiesii praecepta
conscripta sunt« (§ 1; 4,5–8 Boon). Wollte man diese Worte

---

[1] Veilleux, Liturgie 120 mit Anm. 25.

[2] Es wäre zu übersetzen:»... und ich diktierte (die Regeln
[praecepta]) einem herbeigerufenen Stenographen in unserer Sprache,
wie sie (schon) aus dem Ägyptischen [Koptischen] ins Griechische
übersetzt worden waren (bzw. übersetzt vorlagen)«.

[3] Z. B. F. Cavallera, Saint Jérôme, sa vie et son œuvre. 1. Teil
(Löwen 1922) I 295.

pressen, so müßte man sogar zu der Annahme kommen, daß die Väter des oberägyptischen Zönobitentums ihre Schriften schon selbst in beiden Sprachen, koptisch und griechisch, abgefaßt hätten. Das kann natürlich nicht der Sinn von Hieronymus' Worten sein. Dieser kann vielmehr nur sein, daß die Texte damals schon sowohl in koptischer als in griechischer Version schriftlich vorlagen. Nicht weniger deutlich ist die andere Stelle, an der es allein um Pachoms Briefe geht: »... epistolas ita, ut apud Aegyptiacos Graecosque leguntur, ...« (§ 9; 9,5 f. Boon). Die Briefe waren damals also sowohl in koptischer als auch in griechischer Sprache zu lesen. Wenn somit zur Zeit, als Hieronymus seine lateinische Übersetzung anfertigte, schon eine griechische Übersetzung existierte, dann wäre es höchst verwunderlich, wenn ihm diese Übersetzung nicht vorgelegt worden wäre, als man ihn um die lateinische Übersetzung bat. Und wenn Hieronymus eine schriftliche Vorlage hatte, die er selbst verstand, dann möchte man eigentlich auch eine genaue Übersetzung von ihm erwarten. Hieronymus sagt zudem noch ganz ausdrücklich, daß er hier aus besonderem Anlaß geradezu buchstäblich übersetzt habe: »... eadem, ut repperimus, elementa ponentes, et quod simplicitatem aegyptii sermonis imitati sumus, interpretationis fides est, ne viros apostolicos et totos gratiae spiritalis sermo rhetoricus inmutaret« (§ 9; 9,7–10 Boon). Die Tragweite dieser Angaben ist nicht unmittelbar deutlich. Sie stehen im 9. und letzten Abschnitt der Präfatio als Mittelstück zwischen dem ersten Teil, der speziell von den Briefen Pachoms handelt, und dem Schlußsatz, der noch einmal zusammenfassend die Pachom- und Pachomianerschriften nennt. Auch an der zitierten Stelle ist am Schluß schon deutlich von den Schriften Pachoms und der Pachomianer überhaupt die Rede. Das vorausgehende »elementa« könnte jedoch noch eine Anspielung speziell auf die Pachombriefe sein, von denen vorher allein die Rede war[1]. Vielleicht läßt Hieronymus hier bewußt verschiedene Gesichtspunkte ineinander übergehen, um absichtlich eine gewisse

---

[1] Außer in diesen kommen ja, wenn überhaupt, nur an einer einzigen Stelle des »Liber Orsiesii« »Buchstaben« vor (vgl. oben S. 28 f.).

Ambivalenz zu erzielen. Jedenfalls regt sich der Verdacht, der Hinweis auf die »Simplizität«[1] der koptischen Sprache solle dem Leser zugleich als Rechtfertigung für die Unverständlichkeit der Briefe dienen, während diese Texte in Wirklichkeit natürlich weniger deshalb so spröde sind, weil in ihnen die koptische Ausdrucksweise so treu nachgeahmt wäre, als vielmehr wegen der in ihnen verwendeten »Geheimschrift«. Die Behauptung des Hieronymus, er habe besonders genau übersetzt, sogar die koptische Ausdrucksweise selbst nachgeahmt, ist deshalb so ernst nicht zu nehmen[2]. Hieronymus will sich nur — wenn dieser Ausdruck gestattet ist — auf eine besonders buchstäbliche Übersetzung herausreden, mit der er hier das typisch Koptische habe bewahren wollen, wozu gerade bei diesen hochbegnadeten Autoren« ein besonderer Anlaß bestünde. Zu der Annahme, Hieronymus habe hier genauer als sonst übersetzt, besteht kein Grund.

Besondere Vorsicht ist natürlich dort geboten, wo die Übersetzung des Hieronymus nur mit dem koptischen Original, nicht mit einem griechischen Text, der möglicherweise ihre Vorlage war, verglichen werden kann. Es ergibt sich aber desungeachtet ein ganz ähnliches Bild wie beim Vergleich des lateinischen mit dem griechischen Text, so daß unsere vorläufigen Schlußfolgerungen von daher eine gewisse Bestätigung erfahren. Auch bei den Briefen, von denen wir nur den koptischen und lateinischen Text kennen, gibt es einerseits Abschnitte, bei denen beide Versionen relativ gut übereinstimmen[3], andererseits solche,

---

[1] H. Bacht übersetzt »Einfalt« (siehe folgende Anmerkung).

[2] Schon bei dem Vergleich des koptischen und lateinischen Textes des Prooemiums zu den »Praecepta et Instituta« ergibt sich für Bacht, daß »der gewandte Stilist Hieronymus den unbeholfenen Satzbau des Originals in eine übersichtliche Satzperiode aufgelöst« hat, so daß dessen Behauptung, er habe »die Einfalt der ägyptischen Redeweise um der Zuverlässigkeit der Übersetzung willen nachgeahmt«. nur »cum grano salis« zu nehmen sei (Verkanntes Fragment 16).

[3] Das scheint bei den Briefen 9a und 9b der Fall, von denen der koptische Text jedoch leider nur sehr fragmentarisch auf uns gekommen ist. Vgl. zur Ergänzung die gute Übereinstimmung bei den Briefen 10 und 11a.

bei denen kaum Übereinstimmung zu erkennen ist (Brief 8 und 11b).

In der weiteren Überlieferung des lateinischen Textes sind die einzelnen Briefe sehr ungleich behandelt. Nur eine Handschrift[1] enthält alle 13 Briefe[2]. Es ist höchst auffällig, welche Briefe am »schlechtesten« überliefert sind. Die Briefe 5, 7 und 8 stehen nur in einer einzigen Handschrift, eben der genannten Handschrift M. Es sind dies jene Briefe, die allem Anschein nach keinen verschlüsselten Text enthalten. Sollte dieser Umstand der Grund dafür sein, daß sie in der Textüberlieferung so stiefmütterlich behandelt wurden? Dann wäre zu vermuten, daß die verständlichen Briefe aus der Pachomkorrespondenz entweder weniger interessant waren oder gar für verdächtig gehalten wurden.

Die lateinischen Handschriften der Pachom- und Pachomianerschriften sind nach Boons Feststellung alle Abkömmlinge eines einzigen Archetyps. Einzig die gerade genannte Handschrift M hat nach Boon zusätzlich Spuren einer unabhängigen Überlieferung bewahrt[3]. Die inzwischen bekannt gewordenen koptischen und griechischen Texte der Pachombriefe können zu einer Überprüfung dieser Feststellung nichts beitragen. Die große Masse der Varianten in der lateinischen Überlieferung sind ganz offensichtlich innerlateinische Verderbnisse, und redaktionelle Eingriffe in den lateinischen Text der Pachom- und Pachomianerschriften, soweit solche greifbar werden, finden sich natürlich nicht in dem letztlich doch recht uninteressanten Text der Pachombriefe. Auch für die Textherstellung bieten die nun bekannten koptischen und griechischen Texte nicht allzu viel. Hier und da läßt sich daraus erkennen, daß Boon nicht immer der richtigen Lesart oder Konjektur den Vorzug gegeben hat. Doch ist es bei dem weithin

---

[1] Boons Handschrift M (nebst der davon abhängigen Handschrift m; vgl. Boon, Pach. lat., S. XIX).

[2] Vgl. am praktischsten die Übersicht bei Boon, Pach. lat., S. XXI.

[3] Siehe Boon, Pach. lat., S. XXXI. Boon scheint das selbst so zu verstehen, daß wir damit den ursprünglichen Text der Hieronymusübersetzung mehr oder weniger treu überliefert bekommen haben (vgl. ebd. S. IX).

unsinnigen Text der Briefe sowieso eher ein Ratespiel, welcher Wortlaut in den Text aufgenommen zu werden verdient und welcher in den Apparat zu verbannen ist. Es folgt nun eine Liste von Verbesserungen zur Boonschen Ausgabe nach den neuen Zeugen. Man kann darin, wenn man will, einmal mehr die Qualität der Handschrift M bestätigt sehen, doch hat das aller Wahrscheinlichkeit nichts damit zu tun, daß sich hierin Spuren der von Boon erkannten unabhängigen Überlieferung geltend machen. Die Handschrift hat in diesen Punkten wohl nur den Text des gemeinsamen Archetyps besser bewahrt[1].

77,14 pulchrum *Hss. EWX* : sepulcrum *Hs. M*, ἡ ταφή *Z. 6*.

78,4 f. Quae (Qui *Hss. WX*) sunt dies innocentiae tuae? *alle 4 Hss.* (*Fragezeichen handschriftlich bezeugt?*) : ὅ ἐστιν αἱ ἡμέραι τῆς νηπιότητός σου *Z. 15 f.*[3] (*also wohl auch lat. kein Fragesatz*).

78,15 U in epistola *Hss. WX* (*Semikolon nach U zu streichen; handschriftlich bezeugt?*) : U in epistola propter *Hs. M*, o ἐν τῇ ἐπιστολῇ διά *Z. 22 f.* : V in eplam sps *Hs. E*.

78,16 recordare *Hss. EWX* : et recordare *Hs. M*, καὶ μνήσθητι *Z 23*.

79,1 leva *Hs. M* : laba (= lava) *Hs. E*, νίψον *Z. 27* : salva *Hss. WX*.

80,18 T et P custodi *Hss. EWX* : tau et ro *Hs. M*, Τρ *Z. 62* : te ipsum custodi *Hs. B*.

81,6 f. quomodo erranti monstrabit viam? *Hss. MEB* : non potest erranti viam monstrare *Hss. WX*, οὐκ ὁδηγεῖ τὸν πλανώμενον *Z. 69*.

81,22 diligis *Hss. EBWX* : diligitis *Hs. M*, ἀγαπᾶτε *Z. 88*.

84,9 deficit *Hss. BWX* : difidit *Hs. M*, οὐ πιστεύουσιν *Z. 149* : deficit *Hs. E*.

84,12 sit tibi in peccatum *Hss. MEWX* : sit tibi peccatum *Hs. B*, ἔσται σοι ἁμαρτία *Z. 153*.

84,15 quod scriptum sit *Hss. EBWX* : quod scriptum est *Hs. M*, ἐγράφη *Z. 155*.

---

[1] Der griechische Text bietet viele Anhaltspunkte zur Verbesserung des lateinischen; von solchen Konjekturen wird hier abgesehen. — Voran steht der Boonsche Text mit seiner Bezeugung, dann folgen, jeweils durch Doppelpunkt voneinander getrennt, die anderen Lesarten, gleichfalls mit ihrer Bezeugung. An zweiter Stelle steht die vermutlich beste Lesart.

[3] Ὅ ἐστιν wird von Hieronymus auch sonst nicht immer mit »quod est« wiedergegeben (so nur Z. 6 = 77,14 Boon und Z. 9 = 77,17 Boon), vgl. Z. 8 = 77,16 f. Boon; Z. 11 = 78,1 Boon; Z. 22 = 78,9 Boon.

85,14 ab adolescentia *Hss. EBWX* : ab adolescentia tua *Hs. M,* ἐκ
νεότητός σου *Z. 178.*
99,12 ortus *Hss. EWX* : hortus *Hs. M (ursprüngl. Text),* ὁ κῆπος *Rs. 18.*
100,3 corvi : cervi *alle 4 Hss.,* οἱ ἔλαφοι *Rs. 32.*
100,9 vadent *Hss. EWX* : vadunt *Hs. M,* πορεύονται *Rs. 35.*

4. ZUSAMMENFASSUNG

Die Textgeschichte der Pachombriefe läßt sich mit dem
heute verfügbaren Material noch nicht überblicken. Hier seien
nur kurz einige Punkte resümiert. Am Anfang stand ein koptischer Text, der uns nur fragmentarisch erhalten ist. Die Zeugen scheinen relativ gut, doch nicht von gleicher Qualität.
Was den Textumfang betrifft, entspricht das bisher in koptischer Sprache Wiederentdeckte nur einem Bruchteil des lateinischen Textes. Schaut man hingegen auf die Zahl der Briefe,
dann ist über die Hälfte von ihnen auch koptisch bezeugt[1].
Es besteht kein Grund, daran zu zweifeln, daß auch die übrigen
Briefe einst in koptischer Sprache vorlagen, und wir können
durchaus damit rechnen, daß auch diese Texte eines Tages
wieder auftauchen.

Die griechische Übersetzung ist bisher allein durch eine einzige Handschrift bekannt. Diese enthält dem Umfang nach weit
mehr Text als die koptischen Zeugen, nämlich beinah die Hälfte
des Hieronymustextes, sie bezeugt aber weniger Briefe als die
koptischen Fragmente und Zitate. Wegen ihres hohen Alters
ist die griechische Handschrift von ganz außergewöhnlicher
Bedeutung. Dennoch kann der Textumfang dieser Handschrift
nicht als Kriterium der Echtheit dienen. Das erhellt schon daraus, daß vier der Briefe, die in der griechischen Handschrift
fehlen, vollständig oder fragmentarisch auch im koptischen
Original bekannt sind. Der Text der griechischen Übersetzung
scheint mit dem der koptischen Fragmente recht gut überein-
zustimmen[2]. Unklar bleibt vorerst, ob die Vorlage der lateini-

[1] Sechs in direkter Überlieferung (davon drei vollständig), einer
(der 1.) durch Zitate bei zwei Autoren; zu Brief 3 vgl. oben S. 44–46).
[2] Nur zwei Briefe sind in diesen beiden Versionen erhalten. Hier
ist die Übereinstimmung sehr groß.

schen Übersetzung mehr oder weniger so wie der Text unserer einzigen griechischen Handschrift aussah.

Der lateinischen Übersetzung, wiewohl nur Sekundärübersetzung, bleibt auch nach der Entdeckung der koptischen und griechischen Zeugen ihre Schlüsselstellung erhalten. Sie ist bis heute der vollständigste Zeuge der Pachombriefe, ja, sie ist nach wie vor das einzige Kriterium für die Zuweisung von Texten zum Korpus der Pachombriefe. Keiner der direkten koptischen und griechischen Zeugen nennt Pachom als Verfasser, und die Zitationen bei koptisch schreibenden Autoren sprechen entweder von Briefen ungenannter Verfasser oder lassen unerwähnt, daß es sich bei einem Pachomzitat um ein Zitat aus den Briefen handelt. Ohne die lateinische Übersetzung hätten wir bis heute in den erhaltenen Texten auch nicht einen Satz als zu den Pachombriefen gehörig erkennen können[1]. Bei der lateinischen Übersetzung wird im Gegensatz zur griechischen eine bestimmte Person als Übersetzer greifbar, noch dazu vom Rang eines Hieronymus. Vielleicht erklärt sich daraus die relativ große Uneinheitlichkeit, die wir vorläufig in der Treue der Übertragung konstatieren müssen. Hieronymus hätte seiner Arbeit deutlich einen viel persönlicheren Stempel aufgedrückt, als ein x-beliebiger ägyptischer Grieche (oder Kopte) des 4./5. Jahrhunderts dies getan hätte. Allerdings besagt das auch, daß Hieronymus' Übersetzung in vielen Punkten anfechtbar ist. Erst innerhalb der lateinischen Überlieferung können wir die weitere Textgeschichte genauer verfolgen. Nicht alle Briefe sind in allen Handschriften bezeugt, manche nur in einer einzigen, und zwar gerade diejenigen, die keinen verschlüsselten Text enthalten. Diese finden sich allein in jener Handschrift (M), die als einzige Spuren einer unabhängigen Überlieferung bewahrt hat, während die Handschriften sonst samt und sonders auf ein und denselben Archetyp zurückgehen.

[1] Das gilt auch für das Zitat aus Brief 1 bei Schenute trotz der Notiz »auf unseren Vater Pachom« in beiden Handschriften. Dabei handelt es sich nämlich nicht um eine Verfasserangabe, sondern um einen Hinweis auf die liturgische Verwendung des Schenuteabschnitts am Pachomfest; vgl. Quecke, Pachomiuszitat 161–164.

IV.

DIE HANDSCHRIFT W. 145
DER CHESTER BEATTY LIBRARY

Die Handschrift mit dem griechischen Text der Pachombriefe, der hier veröffentlicht wird, ist ein Schriftstück besonderer Art, insofern sie als Rolle des 4. Jahrhunderts nicht in
Kolumnen, deren Zeilen parallel zu den Langseiten liefen, sondern einkolumnig und parallel zu den Schmalseiten beschriftet
ist[1]. Der Beschreibstoff ist Pergament. Die Rolle ist aus meh-

---

[1] So sind später byzantinische (und auch lateinische) liturgische
Rollen beschriftet. Außerdem ist mir nur eine griechische Papyrus-
rolle dieser Art bekannt, die ursprünglich vermutlich gleichfalls etwa
1 m lang war. Vgl. K. Preisendanz, Ein Wiener Papyrusfragment zum
Testamentum Salomonis, in Eos 48,3 (1957) 163, Anm. 12, und 164.
Einen Versuch zur Erklärung jener liturgischen Rollen siehe bei Ll.
W. Daly, *Rotuli*: Liturgy Rolls and Formal Documents, in Greek,
Roman, and Byzantine Studies 14 (1973) 333–338. Zu den lateinischen
vgl. G. Cavallo, La genesi dei rotoli liturgici beneventani alla luce
del fenomeno storico-librario in occidente ed oriente, in Miscellanea
... Giorgio Cencetti (Turin 1973) 213–229. Ein Zusammenhang mit
den amtlichen Akten und Briefen des alten Ägypten (Neues Reich),
die parallel zur Vorderkante und senkrecht zur Faser geschrieben
waren (vgl. etwa H. Brunner im Handbuch der Orientalistik, 1. Abt.,
Bd. 1. Ägyptologie, 1. Abschn.: Ägyptische Schrift und Sprache,
Leiden 1959, S. 60), scheint mir nicht gegeben. Ich frage mich vielmehr, ob Rollen wie die unsere nicht dadurch entstanden, daß man
sich gelegentlich ein Einzelblatt etwas vergrößern wollte. Man vergleiche auch die im Catalogue 105 (»A Collection of Papyri ...«; 1964)
von H. P. Kraus, New York, beschriebene Papyrus-»Rolle« (Nr. 41),
die in Wirklichkeit ein großes Blatt ist: sie wurde vor der Rollung
in Längsrichtung gefaltet. Das Blatt mißt heute noch 65,5 × 25,5 cm
(die ursprüngliche Höhe war ein wenig größer) und ist parallel zu den
Schmalseiten beschrieben (Inhalt: Ps 76 und 77); auch hier deckt die
Schrift die Vorderseite ganz, die Rückseite zum Teil. Inzwischen
P. Yale Inv. 1779 und veröffentlicht von J. Vergote und G. M. Pa-
rássoglou, Le Muséon 87 (1974) 531–541.

74

reren Blättern zusammengenäht, und zwar nicht ganz regelmäßig. Die Form des »Blattes« macht im Gegensatz zu der relativ eleganten Schrift einen weniger guten Eindruck. Die Gesamtlänge beträgt heute noch gut 90 cm; ursprünglich wird es ziemlich genau 1 m gewesen sein. Die Breite ist etwa 15 cm. Beschriftet ist die Rolle nicht nur auf der Vorderseite (Innenseite), sondern zu etwa einem Drittel auch noch auf der Rückseite (Außenseite). Es folgen nun genauere Daten.

Die Rolle ist heute noch etwa 90,5 cm lang und aus fünf Blättern zusammengesetzt[1]. Es ist unwahrscheinlich, daß der am Schluß fehlende Teil von 10 cm Länge ein eigenes Blatt ausmachte. Die heute noch vorhandene Zahl der Blätter dürfte damit auch die ursprüngliche sein. Blatt 2 weist zwei größere Löcher auf, wie sie öfter bei der Pergamentherstellung entstehen, Blatt 5 ein weniger großes. Bei Blatt 4 hat man zwei schadhafte Stellen, von denen die eine fast über die ganze Breite des Blattes geht, mit groben Stichen geflickt, auch dies schon vor der Beschriftung der Rolle (vgl. Taf. 2; von der Rückseite aufgenommen). Die Blätter sind dadurch miteinander verbunden, daß sie überlappend mit jeweils zwei parallelen Nähten aneinandergenäht sind. Der Abstand der Nähte schwankt zwischen 0,5 cm (so Blatt 3/4) und 1,8 cm (so Blatt 1/2). Blatt 1 und 2 sind recht genau zusammengesetzt, so daß sich gerade Kanten ergeben. Aber schon der Umstand, daß Blatt 2 rechts (von der Vorderseite aus gesehen) höher ist als links (vgl. unten S. 75), wird begünstigt haben, daß Blatt 3 dann ziemlich schief angesetzt ist. Die linke Kante springt nun merklich nach links heraus. Diese Richtung setzt sich bei Blatt 4 zunächst noch etwas fort, da aber die linke Begrenzung bei diesem langen Blatt geschwungen ist, läuft die linke Kante später wieder zurück, um mit Blatt 5 noch hinter der verlängerten Ideallinie von Blatt 1/2 abzuschließen. Die linke Kante ist fast überall vollständig erhalten, nur hier und da leicht beschädigt. Die

---

[1] Das war der Zustand, als ich die Rolle Ende 1971 erstmals sah. Inzwischen ist wegen der Gefahr weiterer Beschädigung das letzte Blatt durch Auftrennen der Naht entfernt und gesondert verglast worden. Der Hauptteil der Rolle liegt nicht unter Glas.

rechte Kante ist dagegen fast durchgehend beschädigt, oben zunächst gleichfalls nur leicht, weiter unten dann aber in zunehmendem Maße immer stärker. Dennoch sind an den Zeilenenden nirgendwo mehr als einige Buchstaben verlorengegangen. Schon in intaktem Zustand muß sich die Rolle nach unten etwas verjüngt haben.

An den Nahtstellen decken sich die Blätter in unterschiedlicher Weise von knapp 1 cm bis gut 2 cm. Es ist aber auch kein bestimmtes System des Überlappens eingehalten. Blatt 2 deckt Blatt 1 und Blatt 3, Blatt 4 deckt Blatt 3 und Blatt 5 wieder Blatt 4. Auch bei den Nähten hat der Schreiber die Schreibfläche möglichst voll auszunutzen versucht und die Schrift in verschiedener Weise arrangieren müssen. Eigentliche Kurzzeilen ergeben sich aber nur bei Zeile 129 und 163. Im ersten Fall stört die schadhafte Stelle im Pergament, im zweiten läuft die letzte Zeile von Blatt 4 wegen der unregelmäßigen Form dieses Blattes in spitzem Winkel auf die obere Kante von Blatt 5 zu. Die Blätter sind so verbunden, daß sie alle die Fleisch- und Haarseiten in dieselbe Richtung wenden. Als Vorderseite, die voll beschrieben ist, diente natürlich die Fleischseite. Sie kam auch beim Rollen nach innen. Die Haar- = Rückseite wurde nur noch für den Text, der auf der Vorderseite keinen Platz mehr fand, verwendet. Sie ist nicht einmal zu einem Drittel beschrieben. Vorgeritzt sind mit trockenem Stift nur die seitlichen Begrenzungen der Schriftkolumne und zwei waagerechte Linien am Anfang, zwischen die dann die erste Schriftzeile gesetzt wurde. Trotz der Begrenzung des Schriftspiegels hat der Schreiber dann öfter über die so vorgezeichnete Zeile auf den Rand hinaus geschrieben.

Zu den Maßen der einzelnen Blätter. Diese schwanken alle etwas, denn einmal waren die Blätter schon im ursprünglichen Zustand nicht von ganz regelmäßigen Formen und zum anderen sind sie nun alle in unterschiedlichem Maße beschädigt. Blatt 1 ist bis zu 18 cm hoch und von 15,5 bis gegen 16 cm breit. Der rechte Rand ist hier höchstens leicht beschädigt und Schrift nirgendwo verloren. Die ursprüngliche Breite scheint 15,9 cm nicht überschritten zu haben. Blatt 2 ist links etwa 25 cm und rechts etwa 25,5 cm hoch. Die Breite beträgt an einigen Stellen, an denen vielleicht der rechte Rand erhalten ist, etwas über 16 cm. Der rechte Rand ist aber schon fast durchgehend beschädigt. Im oberen Teil sind von der Breite zumeist nur etwa 15,5 cm, im unteren dann nur noch 14,5 cm erhalten. Blatt 3 ist links 12,3 cm und rechts 11,9 cm hoch. An einer Stelle ist eine Breite von 15,7 cm erhalten, und die ursprüngliche Breite kann kaum mehr betragen haben. Die geringste erhaltene Breite ist auch bei diesem Blatt 14,5 cm. Blatt 4 hat eine sehr unregelmäßige Form, sicher mit bedingt durch die große Schadstelle. Es war auch nicht ganz glatt auszurollen, so daß meine Messung vielleicht nicht ganz genau ist, also eher zu geringe Werte gibt. Ich habe links eine Höhe von 27,5 cm und rechts eine solche von 25,5 cm gemessen. Der rechte Rand ist wieder ziemlich beschädigt. Die erhaltenen Breiten schwanken zwischen gut 15,5 cm und etwa 13,5 cm. Es könnte sein, daß unten an der Naht die ursprüngliche untere Breite erhalten ist, die dann etwa 14 cm betragen würde. Das 5. Blatt ist am stärksten beschädigt. Dennoch ist an einer Stelle eine Breite von knapp 14 cm erhalten, die auch die ursprüngliche gewesen sein könnte. An anderen Stellen ist dies Blatt nur noch gut 12 cm breit. Auch geht ein waagerechter Bruch von links tief ins Blatt hinein. Die erhaltene Höhe ist gleichfalls sehr unregelmäßig. Sie erreicht nirgendwo 16 cm. Die ursprüngliche Höhe betrug wohl mindestens 26 cm, wie sich aus dem fehlenden Text ergibt. Da am Schluß der Vorderseite der Beginn von Brief 7 erhalten ist und auf dem Beginn der Rückseite das Ende desselben Briefes steht, läßt sich die fehlende Textmenge nach der lateinischen Übersetzung feststellen. Leider weichen griechischer und lateinischer Text eben bei Brief 7 so stark voneinander ab, daß diese Feststellung nicht als hundertprozentig sicher angesehen werden kann. Die auf der letzten erhaltenen Zeile der Vorderseite stehenden Textreste müssen dem »errori oculorum« des lateinischen Textes entsprechen (95,22 Boon). Die erste Zeile der Rückseite nimmt den Text mit dem zweiten »benefacite his, qui oderunt vos« wieder auf (96,13 Boon). Wenn die Textmenge zwischen diesen beiden Stellen in beiden Versionen gleich war, dann hat der fehlende griechische Text wahrscheinlich 23 Zeilen umfaßt. 23 Zeilen nehmen aber auf

Blatt 5 zwischen 10 und 10,5 cm ein. So käme man mit einem Minimalrand[1] auf eine ursprüngliche Höhe von gut 26 cm, aber kaum mehr als 27 cm. Damit muß die Rolle insgesamt gegen 102 cm lang gewesen sein.

Das Pergament ist gelb, aber auf der Haarseite etwas dunkler als auf der Fleischseite. Die Tinte ist braun, sie wirkt aber an Stellen, an denen sie dick aufgetragen ist, recht dunkel. Sie hat auf der Fleischseite das Pergament ganz leicht angegriffen, so daß sich an Stellen, an denen sie abgebröckelt ist, feine Spuren im Pergament zeigen, das dort ganz leicht angerauht ist und gegebenenfalls auch gegen das Licht gehalten etwas durchscheint[2]. Soweit das Pergament nicht anderweitig berieben ist, lassen sich deshalb die Spuren der Schrift auch dort verfolgen, wo die Tinte völlig verschwunden ist.

Die Zeilenlänge, die durch die vorgezogenen seitlichen Begrenzungslinien festgelegt ist, nimmt von oben nach unten ziemlich kontinuierlich ab, und zwar von 14,7 cm auf 13 cm. Die Schriftzeilen sind allerdings auch länger, da der Schreiber häufig bis auf den rechten Rand geschrieben hat. Der Zeilenabstand schwankt etwas. Auf Blatt 1 beträgt er 5–6 mm, auf Blatt 2 teilweise auch unter 5 mm, auf Blatt 3 nur 4–5 mm. Auf Blatt 4 geht er wieder teilweise auf über 5 mm, auf Blatt 5 beträgt er wieder 4–5 mm. Auf der Rückseite, wo der Schreiber nur noch relativ wenig Text unterzubringen hatte, haben die Zeilen dann auf Blatt 1 wieder einen Abstand von 5–6 mm, auf Blatt 2 sogar von 5–7 mm. Die Höhe der Buchstaben (ohne Ober- und Unterlängen) ist etwa 2 mm. Mit Beginn von Brief 3 (Z. 32 = 2. Zeile des 2. Blattes) wird die Schrift etwas feiner (vgl. Taf. 1). Es handelt sich aber nicht um eine andere Hand. Vermutlich hat der Schreiber hier seinen Kalamus ausgetauscht oder gerichtet. Die Hand ist nach T. C. Skeat noch ins 4. Jahr-

---

[1] Oben ist vor Z. 1 ein Rand von nicht einmal 1 cm frei. Auf der Rückseite ist der Rand vor der 1. Zeile teilweise 1 cm breit, teilweise auch etwas mehr.

[2] So wie bei P. Palau Rib. Inv.-Nr. 182; vgl. H. Quecke, Das Markusevangelium saïdisch (Papyrologica Castroctaviana 4; Barcelona 1972) 11.

hundert zu setzen[1]. Die Schrift definiert G. Cavallo als »semi-
corsiva con tendenza calligrafica« (private Mitteilung).

Beim Buchstaben ꙟ[2] wird eine runde Form (seltener) neben
der eckigen gebraucht. ⲁ, ⲙ und ⲅ zeigen die runden Formen.
ⲣ reicht bisweilen oben über die Linie hinaus und hat einen
sehr kleinen Kopf. Dieser ist zudem meist oben offen und manchmal nur ein schräger Strich, der oben rechts an den Schaft
angesetzt ist. Verschiedene Buchstaben können in leicht variie-
renden Formen geschrieben werden, entweder in einer einfache-
ren Grundform oder aber etwas verschnörkelt. So können beispielsweise sowohl die Spitze des ⲗ als auch der Bogen des ⲯ
mit einem Schnörkel ansetzen. Verschiedene Buchstabengrup-
pen werden zumeist in Ligatur geschrieben, so etwa ⲁⲓ und
ⲉⲓ. Auch ⲁⲣ gehört hierher: Oft wird der Abstrich des ⲁ schon
nach rechts oben weitergezogen, so daß sein Ende den Kopf
des späteren ⲣ bildet; die senkrechte Hasta ist dann über
diesen Aufstrich gezogen.

Es kommen im ganzen zwei unklare Zeichen vor. Das eine
davon scheint von späterer Hand zu stammen und wird gleich
anschließend behandelt. Das andere, auf Zeile 17, gehört zu
den »Buchstaben« der pachomianischen »Geheimschrift«. Es
hat die Form eines Omega (ⲱ), dem links oben noch ein nach
rechts laufender fast waagerechter (nur leicht ansteigender)
Strich angesetzt ist, der bis weit über die Mitte des Zeichens
geht: ⲱ̄. Das Zeichen ist auf breitem Raum geschrieben und
vorzüglich erhalten. Die Form ist deutlich zu erkennen. In der
lateinischen Übersetzung steht an der entsprechenden Stelle
der Buchstabe C[3]. Vielleicht stand im Text ein koptischer Buchstabe (oder was der Schreiber für einen solchen hielt), den der
Schreiber, der des Koptischen nicht mächtig war, nach eigener
Phantasie gestaltete. Es ist allerdings kein sicherer Bezug zu

[1] Brief vom 17. Dez. 1970 an den Direktor der Chester Beatty
Library.

[2] Im Hinblick auf die Buchstabenformen werden hier mehrfach
koptische Drucktypen auch für Griechisch verwandt.

[3] 78,6 Boon, und zwar das zweite Vorkommen des Buchstabens
C auf dieser Zeile. Die Bezeugung des C in den Handschriften: simma
(M), C (WX), ausgelassen in E.

einem der ägyptischen Zusatzbuchstaben des koptischen Alphabets festzustellen. Am ehesten käme meiner Meinung nach das Kjima in Frage (ϭ). Es wäre in der ganzen Handschrift das einzige speziell koptische Zeichen, aber auch in der umfangreicheren lateinischen Übersetzung kommen nur einmal Zusatzbuchstaben des koptischen Alphabets zur Anwendung (Brief 6; 94,8 f. Boon; vgl. oben S. 19).

Der gesamte Text der Vorder- und Rückseite, einschließlich der Korrekturen, ist von ein und derselben Hand geschrieben. Auszunehmen sind nur die folgenden drei Stellen, die leider alle drei unklar bleiben. Auf Zeile 29 steht gegen Ende zwischen ϭΟΥ und ΤΔ ein Zeichen, das sicher später eingefügt wurde, wie schon die Platzausnutzung zeigt[1]. Es stammt nach meinem Urteil auch von einer anderen Hand. Das Zeichen ist seiner äußeren Form nach einem modernen Minuskel-η sehr ähnlich. Ich weiß aber nicht, wann es in die Handschrift gesetzt worden sein könnte und was es bedeutet. An der entsprechenden Stelle steht in der lateinischen Übersetzung »et« (79,4 Boon; gegen Anfang der Zeile). Sollte es ein Kürzel für καί sein?

Außerdem finden sich auf der Rückseite an zwei Stellen umfangreichere Textspuren, jeweils von mehreren Zeilen. Die erste Zeilengruppe scheint nur die linke Hälfte (von der Rückseite aus gesehen) der Schreibfläche eingenommen zu haben. Sie steht auf der Rückseite an der Stelle, wo auf der Vorderseite die Zeilen um Z. 125 herum stehen. Im zweiten Fall gehen die Zeilen über die ganze Breite des Blattes. Sie stehen auf dem Stück, das etwa den Zeilen 145–150 der Vorderseite entspricht. In beiden Fällen ist die Schrift heute fast völlig verschwunden und nicht mehr zu entziffern. Ich glaube aber aus der Dicke des Striches und dem Duktus erkennen zu können, daß wir es nicht mit der Hand zu tun haben, die den Haupttext geschrieben hat (vgl. die Tafeln). Ich halte es nicht für aus-

---

[1] Vgl. Taf. 1. Die umgebenden Buchstaben Υ und Τ haben ihren normalen Abstand. Das Zeichen konnte zwischen diesen beiden Buchstaben überhaupt nur deshalb Platz finden, weil unter den Armen von Υ und Τ eben naturgemäß ein freier Raum bleibt.

geschlossen, daß hier der Name des Autors genannt war, was auch dann nicht ganz ohne Bedeutung wäre, wenn eine solche Angabe erst nachträglich hinzugefügt worden wäre. Für einen normalen Titel der Briefsammlung sind die Texte aber wohl etwas lang. Andererseits wäre es eigenartig, wenn an dieser Stelle Titel zu den einzelnen Briefen eingefügt worden sein sollten, wie wir sie aus der lateinischen Übersetzung kennen. Mit einem allgemeinen Titel könnte aber ein ausführlicher Hinweis auf die pachomianische »Geheimschrift« oder Ähnliches verbunden gewesen sein.

Spiritus und Akzente im eigentlichen Sinn werden in der Handschrift nicht gebraucht. Ein Zeichen von der Form des Zirkumflex steht über Wörtern, die nur aus den Vokalzeichen η oder ω bestehen[1], jedenfalls über ἤ, ὦ und ᾧ, vielleicht auch ἡ. Vermutlich ist der nach unten offene Bogen die Idealform des Zeichens. Der Bogen ist jedoch bisweilen nur sehr schwach geschwungen und manchmal nichts anderes als ein waagerechter Strich. Das Zeichen steht bei den zwei Vorkommen von ᾧ und bei den vier von ὦ. Bei ἤ steht es häufiger (7 ×), als es fehlt (3 ×). Umgekehrt steht es bei ἡ nur dreimal, fehlt hier aber sonst sehr oft, so daß der Artikel wohl eigentlich ohne Zeichen bleiben sollte. Ungerechtfertigt steht das Zeichen dann noch auf ω je einmal in ὥσπερ (Z. 71) und ᾠκοδομήσατε (Z. 82). Eine gewisse Verwirrung herrscht zwischen diesem Zeichen und dem Strich, der die »Buchstaben« der pachomianischen »Geheimschrift« markiert (vgl. unten S. 82–84).

An Abkürzungen findet sich in der Handschrift nichts Ungewöhnliches. Καί wird zumeist ausgeschrieben, nur gelegentlich wird es als κ mit folgendem Häkchen abgekürzt. Gleichfalls nur gelegentlich (Z. 6, 9 und 63) wird ν am Zeilenende durch den bekannten waagerechten Strich ersetzt; zumeist ist ν auch am Zeilenende normal als Buchstabe geschrieben. Schließlich werden auch die meisten »Nomina sacra« in der üblichen Weise mit übergesetztem Strich abgekürzt, nämlich

---

[1] Diese Zeichen sind in der Ausgabe nicht berücksichtigt, auch nicht im Apparat ausgewiesen.

ἄνθρωπος¹, θεός, κύριος, πατήρ, πνεῦμα, υἱός² und Χριστός, nicht hingegen Ιησους (nur Z. 101) und οὐρανός (5 ×).

Satzzeichen werden nur ganz spärlich verwendet. Sie scheinen auch mehr zufällig gesetzt, denn es werden nicht etwa Stellen gekennzeichnet, wo eine besondere Betonung des Einschnitts zu erwarten wäre. Das Zeichen selbst ist ein hochgestellter Punkt (auf halber oder 3/4 Höhe der Zeile). Er steht an folgenden Stellen³: Z. 15 nach ὁδῷ; Z. 46 nach σάρκα; Z. 48 nach κοιλίας; Z. 49 nach σοφία; Z. 72 nach μάχεται; Z. 74 nach θεοῦ; Z. 100 nach τόπον; Z. 110 nach ἀποθνήσκ.; Z. 115 nach ἀδικίᾳ; Z. 153 nach ἁμαρτία; Z. 172 nach σωθῆναι. Am auffälligsten ist der Punkt auf Zeile 92 nach πᾶς, wo kaum Zweifel an der Richtigkeit der Lesung bestehen können, da noch der Abstand zwischen den Wörtern hinzukommt⁴.

Der Schluß der einzelnen Briefe ist auf verschiedene Weise markiert. Zwischen Brief 1 und 2 fehlt jedes Schlußzeichen. Und da mit Brief 2 auch keine neue Zeile begonnen ist, dürfte es klar sein, daß der Schreiber Brief 1 und 2 als Einheit behandelt hat. Am Schluß von Brief 2 steht wie am Schluß von Brief 10 eine Paragraphos. Diese ist bei Brief 2 ein einfacher waagerechter Strich (Obelos), bei Brief 10 ist dieser links noch mit einer Art Haken versehen. Am Briefschluß können auch Gruppen eines anderen Zeichens stehen, das vielleicht ein verschnörkelter Winkel ist⁵. Eine Gruppe von vier dieser Zeichen

---

¹ Oft. Daneben auch zweimal ausgeschrieben (Z. 44 und Rs. 25). Z. 102 sind besondere Gründe für das Fehlen des Strichs verantwortlich; vgl. unten S. 87, Anm. 2.

² Nur einmal im Vokativ Z. 165, ein anderes Mal im Nominativ ausgeschrieben (Rs. 43).

³ Die Ausgabe unten berücksichtigt den Punkt nicht mehr. Die hier gegebene Aufstellung ist vollständig.

⁴ Oder sollte der »Punkt« der Rest eines ausradierten ι sein? Vgl. auch den eigenartigen Punkt in ε·αυτην Z. 194.

⁵ Vgl. wieder Taf. 1. Ausgehend von den in ägyptischen Handschriften viel gebrauchten Winkeln (zumeist mit der Öffnung nach links), könnte man wohl auch in den Zeichen unserer Handschrift solche Winkel sehen. Das wird durch die Form des Zeichens Z. 183 und Rs. 16 mehr nahegelegt als durch die auf Z. 31 (Taf. 1).

steht am Schluß von Brief 2[1], eine von elf nach Brief 3, wobei der rechts stehende Winkel in eine längere Linie ausläuft. Eine ganze Zierlinie, die nur aus diesen Zeichen gebildet ist, steht nach Brief 7, wobei an den rechts stehenden Winkel wieder eine Linie ansetzt, die hier aber sogleich nach oben in eine Spirale ausläuft. Schließlich steht der erste Buchstabe von Brief 7 vor der Zeile. Wenn das beabsichtigt war[2], ist der Absatz zwischen Brief 3 und 7 wieder doppelt markiert. Brief 11a ist stichisch geschrieben, d. h. mit jedem Vers wird eine neue Zeile begonnen.

Zusätzliche Zeichen verwendet unsere Handschrift, um die »Buchstaben« der »Geheimschrift« hervorzuheben. Es kommen dabei vielfältige Markierungen zusammen, und diese erscheinen in verschiedenen Anwendungen und Kombinationen. Teilweise entsprechen diese Unterschiede den verschiedenen Typen der Buchstabenverwendung (vgl. oben S. 20–22). Leider ist auch mit diesen Hilfen nicht jeder Zweifel darüber zu beheben, ob ein bestimmter Buchstabe ein »Buchstabe« der pachomianischen »Geheimschrift« sein soll. Die angewandten Mittel sind: Zwischenräume zwischen den Buchstaben, Schrägstriche oder Punkte zwischen den Buchstaben und Striche über den Buchstaben.

Bei Brief 11a, wo die »Buchstaben« nur am Ende der einzelnen Verse stehen und letztere zudem stichisch geschrieben sind, ist die Lage klar. Es kommen hier alle eben genannten Verfahren zur Anwendung. Über den »Buchstaben« stehen gerade Striche, jeweils nur ein durchgehender Strich, wo mehrere »Buchstaben« nebeneinander stehen. Zwischen den «Buchstaben« — wo mehrere zusammen stehen — fehlt zunächst jedes Zeichen, was aber nur für Rs. 38 und 41 ins Gewicht fällt. Von Rs. 42 an stehen dann gegebenenfalls immer Punkte zwischen den »Buchstaben«. Die »Buchstaben« sind auch je-

---

[1] Also kombiniert mit der Paragraphos. Allerdings steht hier (Z. 31) noch die Zeile des Buchstabenquadrats.

[2] Es ist nicht mit Sicherheit auszuschließen, daß der Buchstabe nur versehentlich ausgelassen worden war und dann nachgetragen wurde.

weils durch einen größeren Zwischenraum vom übrigen Text getrennt. Nur in zwei Fällen ist aufgrund des verfügbaren Platzes ein größerer Abstand zwischen den »Buchstaben« und dem vorausgehenden Text nicht möglich (Rs. 46 und 52). Im zweiten Fall steht ein Schrägstrich (von links unten nach rechts oben gezogen) zwischen dem vorausgehenden Text und den »Buchstaben«, außerdem steht hier nach den beiden »Buchstaben« ein Punkt.

Auch bei den Briefen 1 und 2 kann über die eigentliche Bezeichnung der »Buchstaben« kein Zweifel herrschen. Hier ist vielmehr das Fehlen der Satzzeichen unbequem, so daß man die einzelnen »Buchstaben«, die hier Funktionen in ihren Sätzen haben, allein nach dem »Sinn« auf ihre Sätze verteilen muß, wobei einem noch die lateinische Übersetzung in etwa zeigen kann, wie Hieronymus die Sache gesehen hat. Auch hier stehen Striche über den »Buchstaben«, aber wo mehrere »Buchstaben« nebeneinander stehen, sind es Striche über den einzelnen »Buchstaben«[1]. Wo hier mehrere »Buchstaben« nebeneinander stehen, können sie obendrein durch Schrägstriche voneinander getrennt sein; dies ist Z. 16 und 24 der Fall. Z. 26 stehen mehrere »Buchstaben« nebeneinander, ohne durch Schrägstriche voneinander getrennt zu sein[2]. Schließlich trennen noch mehr oder weniger große Zwischenräume die »Buchstaben«, soweit sie einzeln stehen, vom übrigen Text, was aber nicht konsequent durchgeführt ist.

[1] Es scheint dies mit der verschiedenen Funktion der »Buchstaben« zusammenzuhängen. In den Briefen 1 und 2 haben die »Buchstaben« ja grammatische Funktion in ihren Sätzen (Typ C), in Brief 11a sind sie vollständigen Sätzen angehängt (Typ A); vgl. oben S. 20–22.

[2] Man beachte, daß, soweit wir die Funktion der »Buchstaben« im Satz überhaupt erkennen können, bei $\overline{\text{T}}/\overline{\text{H}}$ (Z. 16) der erste »Buchstabe« zum vorausgehenden, der zweite zum folgenden Satz gehört, bei $\overline{\text{Z}}/\overline{\text{O}}/\overline{\text{Y}}$ (Z. 24) und $\overline{\text{M}}\ \overline{\text{O}}\ \overline{\text{K}}$ (Z. 26) jeweils die beiden ersten zum vorausgehenden, der letzte zum folgenden. Das ist durch keinerlei Satzzeichen angedeutet, kann sich aber wenigstens auf die Interpretation des Hieronymus stützen. Vor allem bedeutet der Schrägstrich zwischen T und H auf Z. 16 keineswegs, daß T zum Vorhergehenden und H zum Folgenden gehört.

Die Identifikation der »Buchstaben« ist ein Problem nur in dem noch verbleibenden Brief 3. Hier kommt zusammen, daß einerseits an einer Stelle (griech. Z. 66; latein. 81,3 Boon) griechischer und lateinischer Text merklich differieren und andererseits im griechischen Text die eindeutige Markierung eines »Buchstabens« fehlt. Vielleicht hat bei diesem Brief, in dem »Buchstaben« nur sporadisch vorkommen, auch der Schreiber nicht immer sofort erkannt, womit er es zu tun hatte. Auszugehen ist natürlich von den unproblematischen Fällen. Zweimal stehen in diesem Brief je zwei »Buchstaben« nebeneinander (Z. 32 und 62). Beide Gruppen haben je einen durchgehenden Strich über sich. Im ersten Fall ist vor und nach der Gruppe ein deutlicher Abstand gelassen, im zweiten Fall stehen wieder Schrägstriche zwischen dem übrigen Text und den »Buchstaben«[1]. Über zwei anderen, einzeln stehenden »Buchstaben« steht jeweils der Strich, wie auch jeweils davor und dahinter etwas Platz frei gelassen ist (Z. 38 und 44). In einem weiteren Fall ist der Strich deutlich geschwungen (wie der Zirkumflex über η und ω), und wiederum ist Abstand vor und hinter dem »Buchstaben« frei gelassen bzw. hinter dem »Buchstaben« steht auch hier der Schrägstrich (Z. 36). So bleibt nur der eingangs schon erwähnte Fall des ω auf Zeile 66. Dieser Buchstabe hat als einzige Markierung den Zirkumflex, ist also äußerlich keineswegs hinreichend als »Buchstabe« der »Geheimschrift« gekennzeichnet. Daß es sich um einen »Buchstaben« handeln könnte, würde sich höchstens daraus ergeben, daß hier ein Wort ω keinen Sinn gibt. Der lateinische Text hat auch tatsächlich einen »Buchstaben«, aber A, und der Text weicht stark vom griechischen ab (81,3 Boon). Der griechische Satz bleibt jedoch auch unter der Annahme, daß ω ein »Buchstabe« der »Geheimschrift« ist, recht merkwürdig.

Der Schreiber hat eine relativ hohe Zahl von Fehlern gemacht, die er selbst verbessert hat[2]. Es handelt sich aus-

---

[1] Man beachte: In Brief 2 trennen die Schrägstriche die »Buchstaben« voneinander, in Brief 3 die »Buchstaben« vom übrigen Text.

[2] Von anderer Hand kann nur das unklare Zeichen Z. 29 sein; vgl. oben S. 79.

schließlich um Verbesserung von Versehen. Einfluß anderer Textformen ist nicht auszumachen. Hier nur einige zusammenfas-
sende Hinweise[1]. Der häufigste Fall sind vergessene Buchstaben (über 40mal), die dann nachgetragen sind, zumeist über
der Zeile; einzelne Buchstaben hat der Schreiber aber gelegentlich auch auf der Zeile selbst zwischen die schon geschriebenen
Buchstaben quetschen können. Auch über der Zeile sind vor
allem einzelne Buchstaben nachgetragen, manchmal aber auch
zwei oder drei zusammen. Ein nachgetragenes längeres
Wort von acht Buchstaben findet sich nur ein einziges Mal
(Rs. 25), ebenso nur ein einziges Mal ein längerer Teil
eines Satzes (Z. 7). Im letzten Fall gibt das Zeichen ·/. nicht
nur die Stelle auf der Zeile an, wo der Nachtrag einzufügen
ist, sondern dasselbe Zeichen steht außerdem noch am
Anfang und Ende des Nachtrags selbst[2]. An anderen Stellen sind Buchstaben getilgt, teils durch Radieren, teils durch
Streichen, wobei entweder der getilgte Text einfach zu unter-
drücken oder aber durch den richtigen Wortlaut zu ersetzen
war. Letzteres scheint in einem Fall vergessen worden zu sein.
Ich habe gegen 20 Rasuren gezählt, aber die wirkliche Zahl kann
höher liegen, da im unteren, sehr angegriffenen Teil der Rolle
die Rasuren nicht alle mehr mit Sicherheit zu erkennen sind.
In der Mehrzahl der Fälle ist auf die Rasur ein neuer Text gesetzt worden. Nur zweimal ist die radierte Stelle frei geblieben,
nämlich bei dem getilgten σ von τάς (Z. 106) und bei dem τήν
von Zeile 141. Zumeist sind Einzelbuchstaben radiert, gelegentlich zwei oder drei, einmal fünf Buchstaben (nach dem auf
die Rasur geschriebenen neuen Text).

Eine andere Methode der Tilgung ist das Durchstreichen,
das durch Schrägstriche geschieht, die von links unten nach
rechts oben gezogen werden. Nur durch solche Schrägstriche

---

[1] Die Verbesserungen sind im Apparat der Ausgabe unten notiert.

[2] Ob das Zeichen am Schluß des Nachtrags ursprünglich beabsichtigt war, muß indessen zweifelhaft bleiben. Der Schreiber hatte
zunächst einmal zuviel nachgetragen und dann den Schluß wieder
ausradiert. Vielleicht wurde hier dann das Zeichen ·/. nur gesetzt,
um die Rasur etwas zu verbergen.

sind die beiden letzten Buchstaben von Zeile 57 getilgt (Ditto-graphie). Sonst werden zusätzlich noch Punkte über die zu tilgenden Buchstaben gesetzt, nämlich bei dem αὐτῶν von Zeile 138[1] und bei der Silbe μην von Rs. 9[2]. Zeile 157 stehen in ἑτέρων die ersten drei Buchstaben auf Rasur[3], das Ausradierte scheint aber schon selbst vorher durch Schrägstriche getilgt gewesen zu sein. Mit Punkten und einer »Klammer« sind die beiden doppelt geschriebenen Worte von Zeile 174 getilgt, und zwar in folgender Weise: Vor dem ersten ἀλλά steht ein Zeichen wie unsere runde Klammer (Rundung nach links), während auf die Buchstaben des ersten ἐρεῖς Punkte gesetzt sind.

Schließlich setzt der Schreiber aber auch ausnahmsweise einfach einen Buchstaben an die Stelle eines anderen, ohne den letzteren vorher ausradiert zu haben. Das ist eindeutig auf Zeile 111 der Fall, wo das ο in πιστοῖς aus ι verbessert ist. Diese Verbesserung wurde schon ausgeführt, bevor der folgende Buchstabe (ι) geschrieben wurde. Zeile 132 ist der Nominativ πύργος dadurch in den Akkusativ geändert worden, daß der Schreiber das σ in ν verbessert hat, wohl gleichfalls ohne Rasur. Rs. 46 ist das ο in τό verkleckst, Z. 40 vielleicht das δ in διότι. Sollten auch hier Verbesserungen vorgenommen worden sein? Radiert ist hier sicher nicht. Zeile 56 ist das ι in βαλλάντια von ungewöhnlicher Form. Vielleicht hatte der Schreiber schon zu einem н angesetzt, als er mitten beim Ziehen des Querstrichs seinen Irrtum bemerkte und den unvollendeten Buchstaben so stehen ließ.

---

[1] Hier gehen zwei Schrägstriche durch das Wort.

[2] Hier geht der Schrägstrich durch μη. Man erwartet an dieser Stelle eine Verbesserung. Wurde sie nur versehentlich vergessen?

[3] Der zweite und dritte Buchstabe sind nicht ganz sicher zu lesen.

V.

ZUR SPRACHE DER GRIECHISCHEN HANDSCHRIFT

Die Chester-Beatty-Handschrift ist erwartungsgemäß in einem Griechisch geschrieben, das deutliche Charakteristika der späten Sprache aufweist. Inwieweit noch eine gewisse Verwilderung der Sprache hinzukommt, ist wegen des schwierigen Textes nicht immer sicher festzustellen. So mag auch die in der Chester-Beatty-Handschrift vorliegende Kopie der griechischen Übersetzung der Pachombriefe noch Fehler enthalten, die hier nicht registriert sind. Ich habe mich bemüht, den überlieferten Wortlaut möglichst unangetastet zu lassen, obwohl sich manche Härten im Text ergeben.

Das Trema[1] steht in der Handschrift über jedem anlautenden ι und υ, also zunächst im Wortanlaut, auch bei itazistischen Schreibungen, nämlich ϊδως (= εἰδώς Z. 166) und ϊς (= εἰς Z. 106). Dann aber auch im Inlaut, wozu jedoch nur folgende Fälle zählen: ϋϊος (= υἱός Rs. 43), die Endung des femininen Partizips Perfekt -κυϊα (Z. 68) und νοϊ (Imper. νοεῖ Z. 141)[2], außerdem das durch Augmentierung aus αὐ entstandene ηϋ[3]. Bei den Eigennamen sind es Καϊν (Z. 89 u. ö.) und Μωϋσης (Z. 98).

Der apostrophförmige Trenner[4] kommt in der Handschrift

---

[1] Das Zeichen ist unten in der Ausgabe nicht berücksichtigt. Auch im Apparat wird es nur in ganz wenigen Ausnahmefällen beibehalten.

[2] Hierher gehört auch das αν(θρωπ)οϊ von Z. 102, das erst durch ein nachträglich hinzugefügtes α aus mißverstandenem νοϊ verbessert wurde, wobei auch der Strich des »Nomen sacrum« wegblieb.

[3] Nur ein Beispiel Z. 123. Für aus ευ entstandenes ηυ liegt kein Beispiel vor; Nebentempora von εὑρίσκειν bezeichnen das Augment nicht (Z. 74, 104 und 161). Ευ selbst erhält das Trema nicht, auch nicht im Eigennamen Ευα (Z. 98).

[4] Der Trenner ist in der Ausgabe unten nicht berücksichtigt, auch nicht im Apparat.

recht häufig (gegen 90mal) vor. Gelegentlich steht dafür auch der hochgestellte Punkt. Der Trenner wird nur nach Konsonanten, Liquiden und Okklusiven, verwendet, und zwar auf der einen Seite nach dem Schlußkonsonanten nicht gräzisierter fremder Eigennamen und auf der anderen Seite in griechischen Wörtern am Silben- und Wortende. In keinem Fall steht das Zeichen regelmäßig[1], d. h. es gibt immer genügend parallele oder analoge Vorkommen ohne das Zeichen. Von den Liquiden hat es am häufigsten ρ, doch fehlt es auch hier in der Mehrzahl der Fälle. Unter den Beispielen mit ρ sind — außer den erwähnten Eigennamen — die einzigen Vorkommen des Zeichens im eigentlichen Wortauslaut, nämlich einige Male bei γάρ (Z. 119 und 144) und in einigen Verbindungen mit dem Enklitikum περ, z. B. ωσπερ᾿ (Z. 43 und 167). Von den übrigen Beispielen hat nur eines das mit dem Trenner bezeichnete ρ vor Vokal, nämlich παρ᾿ελϑη (Z. 144), alle anderen vor Konsonant, z. B. καρ᾿δια (Z. 161). Bei λ ist fast ausschließlich Doppel-λ bezeichnet, außerdem nur αλ·σεως (Z. 108; Punkt), wo λ für ρ steht. Selten ist das Zeichen bei ν, jeweils vor Vokal, z. B. συν᾿ε-δωκεν (Z. 102), außerdem ανηνεγ᾿καν (Z. 84).

Von den Okklusiven hat κ die meisten Fälle, darunter am häufigsten ούκ, wo die Vorkommen ohne das Zeichen sogar in der Minderzahl sind. Noch günstiger ist das Verhältnis bei ἐκ, das jedoch zumeist in eigentlichen Komposita vorkommt. Bei ξ steht das Zeichen nur gelegentlich. Bei τ sind es bedeutend weniger Fälle, darunter auch einmal μεϑ᾿ ων (Z. 72). Bei π und φ ist das Zeichen gleichfalls selten, darunter die fehlerhaften Fälle επ᾿ιϑυμησις (Z. 78) und προσεφ᾿ερεν (Z. 125). Fehlerhaft ist das Zeichen in einem der beiden Fälle von δ, nämlich ουδ᾿ε (Z. 113)[2]. Das Zeichen steht schließlich noch am Schluß der Zeile des Buchstabenquadrats (Z. 31).

---

[1] Es fällt auf, daß in der Handschrift Partien, in denen das Zeichen fast völlig fehlt, mit solchen wechseln, in denen es relativ häufig ist.

[2] Der andere Fall bei ουδέ mit korrekt elidiertem Auslautvokal (Z. 105).

Nicht alle Schreibungen und Formen sind sicher zu beurteilen. Bei den Unregelmäßigkeiten im Vokalismus stehen an erster Stelle die aus dem Itazismus resultierenden. Und bei weitem am häufigsten steht ι für ει, nämlich weit über 50mal. Verglichen damit ist die Schreibung ει für ι selten, z. B. γεινεται (Z. 58)[1]. Οι für υ kommt dreimal vor, nämlich σοι (= σύ Z. 14 und 176) und οδοινη (Rs. 9), nur je einmal ει für η, nämlich εμνεισθη (Z. 162), und η für ι, nämlich εκλιψης (= ἔκλειψις Z. 63). Höchst zweifelhaft ist, ob auch η für υ stehen kann. Dafür käme nur Zeile 184 und 185 in Frage, wo jeweils ημας steht, die lateinische Übersetzung aber die 2. Person Plural hat und nicht die 1. (95,13 Boon). Da aber einerseits die Stelle bei beiden Auffassungen einen akzeptablen Sinn ergibt und andererseits in diesem Teil von Brief 7 der griechische und der lateinische Text stärkstens voneinander abweichen (vgl. oben S. 61), kann über die Richtigkeit der Schreibung nicht entschieden werden.

An zweiter Stelle der Häufigkeit steht der Wechsel von αι und ε. Dabei kommt ε für αι mindestens 20mal vor[2]. Καί wird immer korrekt geschrieben oder abgekürzt. Die Schreibung κε kommt nicht vor. Umgekehrt steht 10mal αι für ε, z. B. ναιομηνιων (Z. 8) oder αιφ (= ἐφ' Z. 65).

Vertauschung von o-Lauten: Die Schreibung o für ω ist selten und nicht ganz eindeutig. Es kommen nur das γινομεθα von Zeile 117 für den Konjunktiv, wo aber auch Verwechslung der Formen angenommen werden kann, und die beiden Vorkommen von αφομοιωμενος auf Zeile 127 f. und 130 in Betracht, wo jedoch Wegfall der Reduplikation vorliegen kann[3]. Auch ω für o ist selten, nämlich nur μαχωνται (Z. 143) für den Indikativ, was wieder als einfache Verwechslung der Formen er-

---

[1] Einziges Vorkommen auf der Vorderseite; auffälligerweise drei auf der Rückseite.

[2] Einige Fälle sind nicht mit letzter Sicherheit zu entscheiden. Καλιτε (Z. 17) steht nach der lateinischen Übersetzung (78,6 Boon) für καλεῖται, doch wäre vom Kontext her auch καλεῖτε nicht ausgeschlossen. Nicht ganz sicher scheint mir auch das γεννεας für γενναίας (Z. 163).

[3] Vgl. E. Mayser, Grammatik der griechischen Papyri aus der Ptolemäerzeit I 2 (Berlin und Leipzig ²1938) § 72,2aγ (S. 102).

90

klärt werden kann, und επερων für ἐπαῖρον (Rs. 22)[1]. Mindestens dreimal steht ου für ω, nämlich παλαιωθουσιν (Z. 29), εν αφεδρου (Z. 59) und τω ... επιλαθομενου (Z. 133). Unklar bleibt, ob Zeile 45 mit αυτου für αὐτῶν einfache Verwechslung der Endungen bzw. des Numerus vorliegt oder ob hier gleichfalls ου für ω steht und das auslautende ν, wie auch sonst öfter, weggefallen ist. Es ist auch nicht klar, ob umgekehrt ω für ου vorkommt. Vielleicht steht das πιστεύσωσιν von Z. 148 f. für πιστεύσουσιν[2]. Δωναι schließlich (Z. 40) läßt sich als Analogieform nach γνῶναι deuten (vgl. unten S. 92 mit Anm. 2).

Verwechslung von e- und i-Lauten untereinander ist fraglich. Selbst wenn man das αν(θρωπ)ε von Zeile 88 als Fehler für ἄνθρωποι ansieht, ist darin noch nicht notwendig ein lautliches Phänomen zu sehen. Es könnten wiederum nur Endung bzw. Numerus verwechselt sein. Eindeutig ε für ει scheint dagegen der Infinitiv κατευθυνεν (Rs. 5) zu haben, doch ist hier vielleicht nur das ι ausgefallen. Auch η für ε schließlich ist wiederum höchst zweifelhaft, obwohl hier zwei Stellen in Betracht kämen. Aber in dem ganz unmöglichen ησχολασαστε von Zeile 86 könnte man wohl auch ἠσχολήσασθε statt ἐσχολάσατε sehen (vgl. auch Z. 106), und das κηνω [am Schluß von Zeile 100 ist doch eher ⟨σ⟩κηνωμ[α (das vorausgehende Wort endet auf σ) als κενότης oder ein anderes Wort dieses Stammes.

Unregelmäßigkeiten im Konsonantismus finden sich vor allem bei σ und ν, gelegentlich auch bei anderen Liquiden. Λ wird einmal fälschlich verdoppelt in θαλλασσαν (Rs. 35). Doppel-ρ ist zweimal vereinfacht, nämlich in κατερυησαν (Rs. 31) und αραβων (Rs. 41). Ein ρ ist ausgefallen in προσκατερων (Z. 101), wohl nur aus Versehen, und einmal durch λ ersetzt in αλσεως (Z. 180). Auslautendes ν fällt öfter weg[3]. Beinah genausohäufig wird es ungerechtfertigt an auslautenden Vokal an-

---

[1] Dagegen korrekt επαιρον Rs. 27.
[2] Ich fasse das μήποτε davor als Fragepartikel und den Satz selbst als die Apodose zu den vorausgehenden Bedingungssätzen auf.
[3] Zu den acht eindeutigen Fällen (z. B. ἐπιγνῶμε⟨ν⟩ Z. 117) kommt vielleicht noch das αυτου von Z. 45 für αὐτῶν (vgl. hier oben).

gehängt, vor allem an die Infinitivendung -σαι des Aorists, die dabei zugleich zu -σεν entstellt wird[1]. Hinzu kommt das σουν von Zeile 6[2]. Unklar ist wieder, ob man in dem αυτων für αὐτῷ (Z. 41) nur Verwechslung der Endungen oder angehängtes ν sehen soll. Ein zusätzliches ν steht schließlich noch in εναυτων für ἑαυτῶν (Rs. 23). Oft wird vor Guttural ν und nicht γ geschrieben, z. B. ηνγισεν (Z. 184). Σ fällt nicht selten weg, besonders beim Zusammentreffen von zwei σ in der Wortfuge, z. B. προσε für πρὸς σέ (Z. 6) oder εἰστες[3]. Nur seltener fehlt sonst ein σ, nämlich in τα ψυχας (Z. 191) und τα χειρας[4]. Bei επι τη γης (Z. 48) kann man ebensogut in ἐπὶ τῆς γῆς wie in επὶ τῇ γῇ verbessern. Gegebenenfalls hätte man schon hier ein überflüssiges σ; ein solches findet sich sonst nur noch in dem η ταφης της κοιτης von Zeile 6. Ausnahmsweise scheinen sogar ν und σ verwechselt zu werden. Denn das προσεχις von Zeile 116 steht nach meinem Dafürhalten für προσέχειν[5] und statt της Ευαν am Ende von Zeile 119 würde ich τῆς Ευας erwarten.

Die Aspiration ist gelegentlich aufgegeben, so z. B. ουκ ευρον (Z. 104) oder υπιλατο (= ὑφείλατο Z. 168)[6]. Die an sich mögliche Elision eines Auslautvokals vor einem Wort mit vokalischem Anlaut hat häufiger nicht statt. Von ein und derselben Kombination kommen dabei auch beide Möglichkeiten vor, nämlich ἀλλὰ οὐ (Z. 91) und ἀλλ' οὐκ (Rs. 11).

Nicht alles ist eindeutig zu durchschauen, und vielleicht bedürfte die eine und andere Form noch der Erklärung oder der Verbesserung. Soweit sie stärker verderbt sind, sind sie natürlich nicht so leicht zu übersehen. Das ασπετη von Z. 161

---

[1] Oder soll man auch darin eine einfache Verwechslung von Endungen sehen? Es kommen fünf derartige Fälle vor, darunter zweimal ποιησεν auf Z. 186.

[2] Hier steht allerdings σου auf Rasur, so daß man sich fragen könnte, ob das ν noch von dem fehlerhaften Text stammt oder erst bei der Korrektur geschrieben wurde.

[3] Rs. 27. Aber Rs. 22 εις στες.

[4] Rs. 24. Oder ist hier τὰ χεῖρα gemeint?

[5] Andernfalls wäre das gleich folgende ημις vielleicht in ἡμῖν zu verbessern.

[6] Dagegen Rs. 46 korrektes ἀφελοῦ.

kann nur ein Fehler sein, und da wir es hier mit einem Zitat zu tun haben (Ps 43,19a), kann über die Verbesserung in ἀπέστη kein Zweifel herrschen. Schwieriger steht es etwa bei dem σεεναυτω von Zeile 182, wo ich die Verbesserung in ἐν σεαυτῷ nur als Notlösung ansehe.

Aus der Verbalflexion wären folgende Formen zu nennen, die natürlich auch anderweitig belegt sind: εἶπαν (Z. 103 und Rs. 20) neben εἶπον (Rs. 26), σχάτω (Z. 36) für σχέτω[1], ὑπίλατο (Z. 168) für ὑφείλετο und συνῆξαν (Rs. 32) für συνήγαγον, schließlich ἐπόνεσαν (geschrieben εποναισαν Z. 75) und ἐρρέθη (Z. 81). Von διδόναι haben wir ἔδωκαν (Z. 12 und 41) für ἔδοσαν, ἐδίδει (geschrieben εδιδι Z. 126) für ἐδίδου und δῶναι (Z. 40) für δοῦναι[2]. Beim Indikativ Aorist von γίνεσθαι steht die passive Form ἐγενήθη (Z. 42) den medialen Formen ἐγένετο (Z. 72 f., 101 und 124) und ἐγένοντο (geschrieben εγενεντο Z. 126) gegenüber. Vom Konjunktiv finden wir nur die medialen Formen γένῃ (Z. 67) und γένηται (öfter), vom Imperativ nur die Passivform γενηθήτω (Z. 33 zweimal). Das genannte εγενεντο statt ἐγένοντο muß ein Fehler sein. Ob in μνήσκου (Z. 58 f.) Aufgabe der Präsensreduplikation vorliegt oder ob die erste Silbe nur versehentlich ausgefallen ist, kann ich nicht sagen.

Die Kürze des Textes macht es schwierig, die vom Schreiber angezielte Sprachnorm aus der Regelmäßigkeit von Formen und Konstruktionen zu erkennen. Und wenn in einem Punkt wie beispielsweise dem Gebrauch des Artikels auch in einem kurzem Text notwendig eine gewisse Menge Material anfällt, dann stößt man hier auf das Faktum, daß das τήν von Zeile 141 offensichtlich wieder ausradiert worden ist. Das legt Zurückhaltung bei der Vermutung nahe, der Artikel könnte an verschiedenen anderen Stellen nur versehentlich weggeblieben sein. Und muß man — um noch ein anderes Beispiel zu

---

[1] Oder sollte nach der lateinischen Übersetzung »habetote« (79,13 Boon) in σχάτε zu verbessern sein?

[2] So Mayser, Grammatik I 2 § 81 (S. 174), und Blaß-Debrunner, Grammatik des neutestamentlichen Griechisch (Göttingen [12]1965) § 95,1 Anhang. Oder nur Schreibvariante für δοῦναι, zumal daneben korrektes ἀποδοῦναι vorkommt (Z. 152); vgl. oben S. 89 f.

geben — das ἐκβάλλειν mit bloßem Genitiv auf Zeile 121 noch ernst nehmen, oder ist hier die Präposition nur versehentlich ausgelassen? Man wird auch verschiedener Meinung darüber sein können, was im einzelnen noch alles eine besondere Erwähnung verdient. So könnte man etwa darauf hinweisen, daß noch einmal der Optativ vorkommt (Z. 147), was hier umso auffälliger ist, als in der biblischen Quelle (Ps 39,17b) der Imperativ steht[1]. Das καί von Zeile 178 dient nach meinem Dafürhalten zur Einleitung des Nachsatzes[2].

Daß der griechische Text der Pachombriefe kein Original, sondern aus dem Koptischen übersetzt ist, ist aus anderen Gründen so klar, daß man nicht nach sprachlichen Beweisen dafür suchen muß. Dennoch kann man fragen, inwieweit das koptische Original auch unter dem griechischen Sprachgewand vielleicht noch durchscheint. Gibt es sprachliche Phänomene, die im Griechischen auffällig sind, die sich aber leicht als Transponierung koptischer Ausdrücke ins Griechische verstehen ließen? Es seien dazu nur einige Hinweise gegeben. Solche Phänomene werden auch, wie die Erfahrung zeigt, von verschiedenen Autoren oft sehr unterschiedlich beurteilt. Auffällig ist etwa, daß in dem kurzen Text der sechs Pachombriefe, die die Chester-Beatty-Handschrift enthält, die noch im Neuen Testament recht seltene Umschreibung mithilfe von γίνεσθαι und Partizip[3] gleich achtmal vorkommt[4]. Das könnte Nachah-

---

[1] Vielleicht erklärt sich der Optativ daraus, daß das Koptische keinen Imperativ der 3. Person kennt. Die saïdische Psalmenübersetzung hat an dieser Stelle den kausativen Imperativ, den unsere Grammatiken durchweg als »Optativ« bezeichnen.

[2] Das εἰ des Vordersatzes (Z. 177) ist gegenüber der biblischen Quelle (Ps 128,1a) hinzugefügt.

[3] Vgl. Blaß-Debrunner, Grammatik § 354.

[4] Hier die Stellen mit ihren Entsprechungen in der lateinischen Übersetzung: Z. 25 (= 78,18 Boon), 30 (= 79,5 Boon), 33 (= 79,11 Bonn), 42 (= 80,1 Boon), 52 (= 80,10 Boon), 101 (= 82,11 Boon), 127 (= 83,14 Boon) und 129 (= 83,15 Boon). Leider besitzen wir zu keiner einzigen von diesen Stellen das koptische Original. Hieronymus hat in seiner Übersetzung an keiner einzigen Stelle diese Konstruktion nachgeahmt, und nur ein einziges Mal (80,1 Boon = Z. 42) hat er in der Übersetzung den Sinn zum Ausdruck gebracht, den diese Konstruktion nach Blaß-Debrunner hat, nämlich den »Anfang

mung der koptischen »periphrastischen Konjugation«, also ϣⲱⲡⲉ mit Umstandssatz, sein[1], wobei man jedoch nicht annehmen muß, daß jedes einzelne Vorkommen nur so erklärt werden könnte. Ein Koptizismus könnte auch das zweimalige ποιεῖν τὸ ἀληθές sein[2], dessen Sinn doch nur »das Rechte tun« sein kann. Im Koptischen bedeutet bekanntlich ein und dasselbe Wort ⲙⲉ sowohl »Wahrheit« als auch »Gerechtigkeit«. In der koptischen Vorlage der griechischen Übersetzung könnte man sich ⲙⲛⲧⲙⲉ denken[3].

Der Einfluß der koptischen Vorlage zeigt sich aber nicht nur in auffälligem Sprachgebrauch, sondern auch in Abweichungen der Bibelzitate von den griechischen Schrifttexten, die dem Übersetzer geläufig gewesen sein müssen und an die er an anderen Stellen bei seiner Übersetzung auch in der Tat angleicht. So heißt es in dem Zitat aus Mt 24,45 ἐν καιρῷ αὐτῆς (Z. 40 f.). Das gegenüber dem neutestamentlichen Text zusätzliche Pronomen dürfte aus der saïdischen Mt-Übersetzung stammen[4]. Im Zitat aus Koh 10,10a hat der griechische Text der Pachombriefe ἀνθρώπου (Z. 49) statt des ἀνδρείου (u. ä.) der LXX. Dahinter steht, daß das Koptische nur ein Wort für »Mensch« und »Mann« kennt (ⲣⲱⲙⲉ) und dieses natürlich

---

des Seins«. Ob diese Stelle damit richtig verstanden ist, mag hier auf sich beruhen.

[1] Vgl. W. C. Till, Koptische Grammatik (Leipzig ²1961) § 276.

[2] Z. 193 und 195 f. Der ganze Abschnitt im Lateinischen stark abweichend. Vielleicht ist »dominetur veritas« (95,18 Boon) die entsprechende Stelle.

[3] Vgl. z. B. die Übersetzung von Sir 27,8 ἐὰν διώκῃς τὸ δίκαιον durch ⲉⲕϣⲁⲛⲡⲱⲧ ⲛⲥⲁ ⲧⲙⲛⲧⲙⲉ; kopt. Text bei H. Thompson, The Coptic (Sahidic) Version of Certain Books of the Old Testament (London 1908) 162.

[4] Sieben von acht Handschriften lesen so. Vgl. den Apparat bei [G. Horner], The Coptic Version of the New Testament in the Southern Dialect I (Oxford 1911); C. Wessely, Griechische und koptische Texte theologischen Inhalts II, Nr. 108, in Studien zur Palaeographie und Papyruskunde 11, 1911, S. 135; R. Kasser, Papyrus Bodmer XIX (Cologny-Genf 1962). Horner wird den Text der einzigen Handschrift, in der das Possessivum fehlt, eben wegen der genauen Übereinstimmung mit dem griechischen Text vorgezogen haben.

an der fraglichen Stelle verwendet. Auch das περισσόν an der-selben Stelle (statt περισσεία LXX) versteht sich am einfach-sten als Wiedergabe des koptischen ϩογο, das die saïdische Koheletübersetzung an dieser Stelle natürlich verwendet. Das koptische Wort, das etwa »der größere Teil« bedeutet, ist die normale Übersetzung auch des griechischen περισσεία. Das Zitat aus Ps 4,3a[1] enthält nicht das βαρυκάρδιοι der LXX, sondern mit ἡ καρδία ὑμῶν βεβάρηται (Z. 89) eine praktisch wörtliche Übersetzung der saïdischen Fassung dieses Psalms[2]. In dem Zitat aus Spr 7,1 (LXX-Zusatz)[3] steht »Gott« (statt »Herr« LXX). Das stimmt mit der saïdischen Proverbienübersetzung überein, nach der Pachom zitiert haben dürfte[4].

Man meint bisweilen, Koptizismen der genannten Art selbst noch in der lateinischen Übersetzung spüren zu können, wo der griechische Text nicht erhalten ist und nur aus der Über-einstimmung zwischen koptischem Original und lateinischer Zweitübersetzung rekonstruiert werden kann. Dazu nur ein Hinweis. In Brief 9b steht in dem Zitat aus Jon 3,9 »si ... agat paenitentiam deus« (98,6 Bonn). Hinter dieser eigenar-tigen Formulierung kann nur der saïdische Jonastext mit ϥⲛⲁⲣ ϩⲧⲏϥ ⲛϭⲓ ⲡⲛⲟⲩⲧⲉ stehen[5], nach dem auch Pachom zi-tiert hat[6]. Der koptische Ausdruck enthält zwar kein Wort für μετάνοια/paenitentia, ist aber mit dem Verb »tun« zusam-mengesetzt, und das dürfte eine griechische Übersetzung mit ποιεῖν μετάνοιαν inspiriert haben, das dann ins Lateinische transponiert wurde.

---

[1] Lateinisch »cor vestrum adgravatum est« (81,22 Boon). Ich sehe keinen Anlaß, diesen Satz mit Boon auf 1 Kön (Sam) 6,6 zurück-zuführen. Auch in der lateinischen Übersetzung geht unverkennbar das Zitat aus Ps 4,3b voraus.

[2] Es ist nur das etwa einem »dativus commodi« entsprechende ⲉⲣⲱⲧⲛ̅ nicht wiedergegeben.

[3] Boon, der nur die Vulgata berücksichtigte, zog stattdessen Spr 3,9 zum Vergleich heran.

[4] Vgl. einige weitere Stellen bei der Behandlung von Brief 11a oben S. 52 f.

[5] E. A. W. Budge, Coptic Biblical Texts in the Dialect of Upper Egypt (London 1912).

[6] Allerdings nur verstümmelt erhalten (Text unten S. 118).

VI.

TEXT DER HANDSCHRIFT W. 145
DER CHESTER BEATTY LIBRARY

Hinweise zu Ausgabe und Apparat

Die Ausgabe gibt den Text der Handschrift mit den unumgänglichen Verbesserungen. Wo der Text der Ausgabe von dem der Handschrift abweicht, ist Lesart oder Schreibung der Handschrift, soweit nicht schon aus der Verwendung von Klammern erkennbar, immer im Apparat zu finden. Auf diesen wird bei Änderungen gegenüber dem Text der Handschrift auch jeweils durch das entsprechende Zeichen hingewiesen, abgesehen von drei Fällen: alle Arten itazistischer Schreibungen, αι/ε-Wechsel und ν statt γ vor Guttural (auch in diesen Fällen findet sich die Schreibung der Handschrift selbstverständlich im Apparat). Der 1. Apparat bringt somit einmal den Befund der Handschrift (auch Verbesserungen und Rasuren), dazu eventuell die Daten zur Textherstellung. Der 2. Apparat weist die Schriftstellen aus. Hierbei geht es in erster Linie um biblischen Sprachgebrauch. Wo Pachom nur auf in der Schrift Berichtetes hinweist, steht also kein Verweis (solche Stellen sind auch allgemein bekannt). Umgekehrt werden biblische Ausdrücke (in extremen Fällen selbst einzelne Wörter) registriert, ohne daß damit behauptet wird, Pachom habe die betreffenden Stellen zitieren wollen.

Bei den kritischen Zeichen hält die Ausgabe sich an das Übliche, soweit Konsens herrscht[1]. Es bedeuten:

---

[1] Nur die übliche Bezeichnung für über der Zeile stehende Buchstaben übernehme ich nicht. Stattdessen stehen im Apparat entsprechende Hinweise.

(...)   aufgelöste Abkürzung
[...]   Ergänzungen von Lücken bei Verlust des Beschreibstoffs
⌊...⌋   Ergänzungen bei verschwundener Schrift (Beschreib-
          stoff erhalten)
⟨...⟩   Ergänzungen bei ausgefallenem Text
{...}   überflüssiger, zu streichender Text
[[...]]   vom Schreiber getilgter Text
αβγ   unsichere Buchstaben
α̣β̣γ̣   gegenüber der Handschrift in der Ausgabe geänderte
          Buchstaben

Im 1. Apparat wird das Textwort nicht wiederholt, wo
dies nicht nötig ist. Gelegentlich folgt es der größeren Deut-
lichkeit halber in Klammern auf die Schreibung der Handschrift.
Das Trema der Handschrift ist im Apparat nur ausnahmsweise
beibehalten. Für die »Buchstaben« der »Geheimschrift« sind in
der Ausgabe koptische Typen ohne weitere Kennzeichnung
verwendet. Zur unterschiedlichen Kennzeichnung der »Buchstaben« in der Handschrift vgl. oben S. 82–84.

Zur Vermeidung von Mißverständnissen sei noch ausdrücklich gesagt, daß der Apparat nicht die Varianten der lateinischen Übersetzung gibt. Die lateinische Übersetzung ist nur
in ganz wenigen Fällen notiert, in denen sie (vielleicht) etwas
zur Textherstellung beiträgt.

Brief I

Ὁ ϑ(εὸ)ς ὁ σοφὸς ὁ ϑ(εὸ)ς ὁ ἀπροφάσιστος ὁ ϑ(εὸ)ς ὁ ἄμεμπτος
δέδωκεν ἀνάπαυ|σιν τῷ πν(εύματ)ί σου. καὶ σὺ δὸς ἀνάπαυσιν τῷ
πν(εύματ)ί σου, ἵνα Σιων χα|ρῇ ἐν ταῖς ἡμέραις τῆς γενέσεως αὐτῆς.
ποίησον τὸ ἔργον τοῦ ι, | ὅπερ ἐκλήϑη ο ἐν ταῖς προτέραις ἡμέραις.
καὶ ϑὲς τὸ ⅄ πρὸ ὀφϑαλ‖μῶνσου, ἵνα καλῶς γένηταί σου τῇ ψυχῇ.   5
τὸ ρ ἐξέτεινεν τὴν | χεῖρα αὐτοῦ φϑάσαι πρὸς ⟨σ⟩έ, ὅ ἐστιν ι ⟨ἤτοι⟩
ἡ ταφὴ{ς} τῆς κοίτης σου{ν}. ᾆσο(ν) | τῷ ω, ἵνα μὴ τὸ ω ᾄσῃ σοί.
ὁ αἰὼν ὁ ἀναιδὴς συγχαρήτω μετὰ σοῦ, ἵνα μὴ συγχαρῇς τῷ αἰῶνι
τῷ ἀναιδεῖ. μνή|σϑητι τοῦ н. μὴ ἐπιλάϑῃ τῶν νεομηνίων, ὅ ἐστιν
αἱ ἡμέραι | τῆς πτωχείας τῆς κοίτης σου. λάβε σεαυτῷ τὸ ι, ὅ ἐστιν
ἐξ αὐτῶ(ν), ‖ καϑότι οὐκ ἦν ⅄ ἐν τῷ н. διὰ τοῦτο ἐξετράφησαν   10
ἄνευ ῥακῶν. | ἐπιστράφητι εἰς τὴν νεομηνίαν, ὅ ἐστιν ⱬ ἐκ τοῦ ο.
ἡτοίμασαν | τὰς ἁμάξας τῆς ⟨σ⟩κηνῆς οἱ ἄρχοντες τῶν φυλῶν.
ἔδωκαν μετὰ | εὐχαριστίας καὶ τὰ δῶρα τῆς ⟨σ⟩κηνῆς μετὰ εὐφρο-
σύνης. καὶ | σὺ ὡς σοφὸς ἐπίγνωϑι τὴν τρίχα τῆς κεφαλῆς σου ἐν
τῇ ὁ‖δῷ, ἵνα ἡ χάρις ἔλϑῃ ἐπὶ τὸ ε, ὅ ἐστιν αἱ ἡμέραι τῆς νηπιό|τητός   15
⟨σ⟩ου. μὴ οὐ νεομηνία ἐστὶν т; н ἐστιν πάσχα. ἐν | τούτοις πᾶσιν
μὴ ἐπιλάϑῃ τοῦ с, ὅπερ καλεῖται ⲱ. καὶ αὐτό | ἐστιν κοινωνὸν

---

2 1. τω *auf Rasur* | **3** γενεσεως: σε *über der Zeile* | **5** εξετινεν | **6** ‹ητοι›
oder ‹ἤ›? *hoc est* 2 *lat. Hss.* (*ME*); *Text* (*ohne Partikel*) 2 *lat. Hss.*
(*WX*) | σου *auf Rasur* | **7** ο αιων ... ινα μη *zwischen Z.* 6 *und* 7 *nach-
getragen, Zeichen* ᐟ|. *nach* σοι *und vor und hinter dem Nachtrag* | συγχα-
ρητω | ᐟ|. *nach dem Nachtrag auf Rasur* (συν) | συνχαρης | αναιδι | **8** ναιο-
μηνιων | **9** πτωχιας | της κοιτης *davor et lat.* | το: τ *scheint aus teilweise
radiertem* ι *verbessert* | εξ: ε *auf Rasur* | εξ αυτων *davor* praecipuum
lat. | **10** εξετραφησαναευ *in* ἐξετράφης ἄνευ (αν *Dittographie*) *zu verbes-
sern*? nutritus es sine *lat.* | ανευ: ευ *über der Zeile* | **11** νεομηνιαν: ο *über
der Zeile* | **12** εδωκαν + ea *lat.* | μετα: μ *auf Rasur* | **13** ευχαριστιας:
2. σ *klein zwischen den Buchstaben nachgetragen* | **14** σοι (συ) | **17** κα-
λιτε | ⲱ *unklar; für ägyptischen Zusatzbuchstaben des koptischen Al-
phabets*? *Lat.* simma (*Hs. M*), Ⲥ (*Hss. WX*), *ausgelassen* (*Hs. E*) | **18** κοι-
νωνος

---

11 f. Num 7,2 f.

τοῦ ρ. ἐχαρίσατο αὐτῷ τὴν μερίδα αὐτοῦ, | ἵνα πλουτήσῃ ἐν αὐτῇ.
20 τὰ γράμματα τῆς ἐπιστολῆς τὰ γεγραμ‖μένα ἐστὶν **λ** καὶ **ι**. ἀσπάζου
τὴν κεφαλὴν καὶ τοὺς πόδας | καὶ τὰς χεῖρας καὶ τοὺς ὀφθαλμοὺς
καὶ τὸ κατάλοιπον τοῦ πν(εύματό)ς | σου, ὅ ἐστιν **α**.

BRIEF 2

μνημόνευε, ὅτι ἔγραψά σοι **ο** ἐν τῇ ἐπιστολῇ | διὰ τὸ **τ**, ὅτι γέγρα-
πται. καὶ μνήσθητι καὶ γράφον **η** διὰ τὸ **c**, | ὅτι γέγραπται. μὴ οὐκ
25 ἔστιν **ζ ο**; **γ** ἐστιν **κ**. ἐν τούτοις πᾶσιν ‖ μνήσθητι καὶ γράφον
π καὶ **ι**, ἵνα τὸ **α** γένηται καλῶς γεγραμ|μένον ἐν τῇ χάριτι τῶν
ὑψηλῶν. μὴ οὐκ ἔστιν **μ ο**; **κ** ἐστιν **τ**. | ἄνοιξον τὸ στόμα σου καὶ
νίψον τὸ πρόσωπόν σου, ἵνα οἱ ὀφθαλμοί | σου βλέπωσιν καὶ ἀναγνῷς
τὰ γράμματα καλῶς. πρόσεχε σεαυτῷ, | μὴ γράψῃς **λ** ἐπὶ **φ**, ἵνα
30 μὴ παλαιωθῶσιν αἱ ἡμέραι σου καὶ τὰ ὕδατά ‖ σου ὀλιγωθῇ. μνή-
σθητι καὶ γράφον **θ** κ(αὶ) **ρ**, ἵνα γένηται τὸ **ρ** καλῶς | γεγραμμένον.

ληιπζορτ |

BRIEF 3

Τίμα τὸν θ(εὸ)ν καὶ ἰσχύσεις. μνήσθητι τοῦ στεναγμοῦ τῶν ἁγίων
cφ. | γενηθήτω ὁ οἶκος κατὰ τὰ ἔτη αὐτοῦ. γενηθήτω καλῶς
τεταγμένος | κατὰ τὸ ἔθος τῶν ἁγίων, οὐκ ἐν βρώμασιν προσκαίροις
35 οὐδὲ ⟨ἐν τῷ⟩ ἀπο‖βλέπειν εἰς ὁμοίωσιν οὐδενὸς τῶν ἐν τοῖς οὐρανοῖς
ἢ τῶν ἐπὶ τῇ γῇ. σ|χάτω **ω**, ἵνα δυνηθῆτε ἀπαντῆσαι τῷ θ(ε)ῷ

---

22 *Brief 2 in der Hs. durch nichts von Brief 1 getrennt* | 23 γε-
γραπται: τ *auf Rasur und von ungewöhnlicher Form* | 28 γραμματα: τα
über der Zeile | 29 γραψης: η *auf Rasur* (ι?) | παλαιωθουσιν | και *ein
unklares Zeichen, später nachgetragen;* et *lat.* | 30 μνησθητι: *1.* η *über
der Zeile* | 32 ισχυσις | αγιων: ι *auf Rasur* | 33 τεταγμενος: σ *auf Ra-
sur* | 34/35 ουδε αποβλεπιν *oder* οὐδὲ ἀποβλέπων *zu verbessern? Lat. ab-
weichend* | 35 ἤ *wie* ν *geschrieben, aber mit dem für einvokalige Wörter
typischen Zirkumflex* | 35/36 σχατω *in* σχάτε *zu verbessern?* habetote
lat.; χ *vielleicht* κ, *also* ἐπὶ τῆ⟨ς⟩ γῆς κάτω. ⟨σχάτω⟩ | 36 δυνηθηται

---

32 Spr 7,1aα | 35 Ex 20,4; Dtn 5,8

ἐν τῇ ἡμέρᾳ τῆς ἐπι|σκοπῆς ῥυσθέντες ἀπὸ τοῦ ἐλέγχου τῆς Μαρθας.
ἑτοίμασον τὸν οἶκον κα|τὰ τὰ ὅρια αὐτοῦ. ϙ φύλαξον, μὴ λάβῃς τὸν
ὀνειδισμόν, ᾧ ἐλέχθη ὅτι· ἀπό|δος τὸν λόγον τῆς οἰκονομίας, ἢ τοῦ
φαγόντος καὶ πιόντος μετὰ τῶν με‖θυόντων, διότι οὐκ ἐσχόλαζεν   40
εἰς τὸ σκάπτειν ἢ δῶναι τὴν τροφὴν ἐν καιρῷ | αὐτῆς. διὰ τοῦτο
ἀνταπέδωκαν αὐτῷ{ν}, ὅτι ἐπελάθετο τοῦ νόμου τοῦ θ(εο)ῦ αὐτο[ῦ]|
καὶ οὐκ ἐπεσκέψατο τοὺς ἀσθενεῖς. διὰ τοῦτο ἐγενήθη κλυδωνιζό-
μενος | ὑστερούμενος ἄρτου ὥσπερ οἱ θρασεῖς καὶ αὐθάδεις, διότι
οὐκ ᾠκοδόμη|σαν τὸν οἶκον ε. ὦ ἄνθρωπε, ἐπίγνωθι τὴν σύνεσιν
τούτων, ὧν ὁ πό‖λεμος τοῦ κ(υρίο)υ ἐν ταῖς χερσὶν αὐτῶ̣ν̣, καὶ ἐπιστεύ-   45
θησαν στῆσαι τὴν ἑαυτῶν | σάρκα, ἐὰν δυνηθῶσιν ἐκφυγεῖν τὸν
ἔλεγχον τοῦ Δανιηλ καὶ τὸ πτῶμα | τοῦ Ησαυ καὶ τὴν σκληρίαν τοῦ
Μωαβ καὶ τὴν ἔκλυσιν τοῦ Ισμαηλ καὶ | τὴν ἀπάτην τῆς χορτασίας
τῆς κοιλίας, διότι ἐφρόνησαν τὰ ἐπὶ τῆ⟨ς⟩ γῆς. | τὸ περισσὸν τοῦ
ἀν(θρώπ)ου ἐστὶν σοφία. ὦ ἄν(θρωπ)ε, δὸς εἰς παιδείαν ‖ τὴν καρ-   50
δίαν σου, μὴ πληθύνῃς νεκροὺς ἐν τῇ καταφρονήσει σο[υ] | καὶ τῇ
ἀμελείᾳ διὰ τὴν ἀπάτην τῆς καρδίας σου. ὦ ἄν(θρωπ)ε, | μὴ γίνου
εἰς τὰ ὁρατὰ ἀποβλέπων. ὁ μισθωτὸς οὐκ ἔστιν | ποιμήν. ἐπὶ τοὺς
σκοτιζομένους ἀλώπεκες νέμονται. | κάτεχε τὴν ῥομφαίαν τοῦ καυ-
χήματός σου. ἐπίγνωθι τὸν ‖ θώρακα τῆς δικαιοσύνης καὶ μὴ παρα-   55
βλέψῃς τὸ κατοικητήριον τῆς [[σο]] | σοφίας. ποίησον σεαυτῷ βαλ-
λάντια μὴ παλαιούμενα, ἵνα δυνηθῇς | ἐπὶ τρώγλην ἀσπίδων χεῖρα
ἐπιβαλεῖν. μὴ μεθύσκου ἐν τῇ δυ[νά]|μει τοῦ οἴνου, ἐξ οὗ γίνεται

---

38 ονιδισμον | αποδος: α auf Rasur (Platz für α zu schmal) | **40** διοτι: δ
verbessert? | σκαπτιν | δωναι + conservis lat. | **43** υστερουμενος davor et lat. |
θρασις | αυθαδις | **45** αυτου | **48** της κοιλιας davor ac lat. | **49** παιδιαν |
50 καταφρονησι das ο dieses Wortes auf Rasur? | **51** αμελια | ανε: α über
der Zeile | **52** αποβλεπων: β über der Zeile | **53** νεμοντε | **55** δικαιοσυνης:
2. σ über der Zeile | σο am Zeilenende durch zwei Schrägstriche getilgt |
56 βαλλαντια: ι abgebrochenes η? | **57/58** δυναμι | **58** γεινεται

---

38 f. Lk 16,2 | **39 f.** Mt 24,49 | **40** Lk 16,3 | Mt 24,45 | **42** Mt 25,43 |
Jes 57,20; Eph 4,14 | **43** Sir 10,27b | Spr 21,24a | **43 f.** 1 Chr 17,6 |
48 Spr 24,15b | Kol 3,2 | **49** Koh 10,10d | **49 f.** Spr 23,12a | **50** Ez
11,6 | **52 f.** Joh 10,12 | **53** Klgl 5,17 f.; Ez 13,4 f. | **54** Dtn 33,29d |
55 Eph 6,14; Weish 5,18a; Jes 59,17 | **56** Lk 12,33 | **57** Jes 11,8 |
57 f. Spr 23,31a

πτωχεία, καὶ περιπατοῦσιν γυμνοί. ⟨μι⟩μνή|σκου, ὅτι ἐδόθη ἐντολὴ
60 περὶ τῆς ἐν ἀφέδρῳ γυναικὸς τοῦ ἐκβληθῆ‖ναι αὐτήν, διότι αἱ ὁδοὶ
αὐτῆς ἐστρωμέναι εἰσὶν ἀκάνθαις. πενία ἄνδρα | ταπεινοῖ, καὶ στε-
νάζει ὁ οἶκος ἐν τῇ ἀργίᾳ τῶν χειρῶν. μὴ ἀσθενήσῃς | ἐν πληγαῖς
ξύλων τρ. μανία κοιλίας χαλεπωτέρα ἐστὶν τούτων | πάντων. ἡ
ἀπάτη τῶν ὀφθαλμῶν ἐστιν ἡ ἔκλειψις τῶν φρονίμω(ν). | ἡ ἔκλυσις
65 τῶν σοφῶν ἐστιν ἐπιθυμία σαρκὸς εἰς σάρκα ὥσπερ ἐκ‖χέων αἷμα
ἐφ᾽ αἵματι. πάντες οἱ συνεργοὶ τοῦ θ(εο)ῦ, μὴ ἐκλίπητε τὸ | καύχημα
ὑμῶν. πρὸ πάντων γνῶθι, ὅτι ω εἶ. ὁ θ(εό)ς σοι συμφωνεῖ, ἐν [ᾧ] |
τρέχεις, ἵνα μὴ γένῃ ὡς οἱ εὐφραινόμενοι ἐπ᾽ οὐδενὶ λόγῳ. μήπως |
ἡ φροντὶς τῆς φρονήσεώς σού ἐστιν ἐξεστηκυῖα. ἄν(θρωπ)ος μέθυσος
οὐ | βοηθεῖ μεθύσῳ. ὁ πεπλανημένος οὐκ ὁδηγεῖ τὸν πλανώμενον. ‖
70 κἂν πάλιν ὁδηγήσῃ, οὐαὶ αὐτῷ, ὅτι ἐπλάνησεν τυφλὸν ἐν ὁδῷ. ἡ
σύ|νεσις τῶν ἁγίων ἐστὶν ἐπιγνῶναι τὸ θέλημα τοῦ θ(εο)ῦ ὥσπερ
τιν[ές], | μεθ᾽ ὧν ὁ θ(εὸ)ς μάχεται. καὶ αὐτοὶ λέγουσιν ὅτι · ὁ θ(εὸ)ς
ἐν ἡμῖν ἐστιν. ἐγ[έ]|νετο ἡ χαρὰ αὐτῶν ὕστερον εἰς πένθος, ὅτι οὐκ
ἔγνωσαν τὸ μυσ[τή]|ριον τοῦ θ(εο)ῦ οὐδὲ εὖρον τὴν ὁδὸν τῶν ἁγίων
75 ἐργάζεσθαι ἐν αὐ[τῇ], ‖ διότι ἐμαστίγωσαν αὐτοὺς καὶ οὐκ ἐπόνεσαν,
κατέπαιξα[ν] | αὐτῶν καὶ οὐκ ἔγνωσαν ἐν τούτοις πᾶσιν. ὦ ἄν(θρωπ)ε
θ(εο)ῦ, ἐπ[ί]‖στρεψον εἰς ὕψος, ὅ ἐστιν ἡ γνῶσις τῆς σοφίας. ἐγρά[φη] |
γὰρ ὅτι · οὐκ ἐπιθυμήσεις. καὶ πάλιν · μὴ μεθυσθῇς. | ἡ ἐπιθυμία
80 οὖν οὐκ ἔστιν ἓν πρᾶγμα, καὶ ἡ μέθη ‖ οὐκ ἔστιν ἓν πρᾶγμα. ἐπαι-
νεῖται ὁ ἁμαρτωλὸς διὰ | τὰ ἔργα τῶν χειρῶν αὐτοῦ. ἐρρέθη πάλιν
καὶ ἑτέ|ροις ὅτι · ποῖον οἶκον ᾠκοδομήσατέ μοι; διότι ἐποίησαν |

---

58 πτωχια ruinae *lat. aus* πτωμα *oder* πτωσις? | 59 εδοθη: δ *über der*
Zeile | αφεδρου | 60 οδοι: δο *über der Zeile* | 61 ταπινοι | 62 χιρων | πλα-
γες | 63 εκλιψης | 65 αιφ (ἐφ᾽) | 66 παντων: α *über der Zeile* | συμ-
φωνι | 67 τρεχις | ευφρενομενοι | λογω: λ *auf Rasur* | 69 βοηθι | οδηγι |
70 οδηγηση: γη *über der Zeile* | 75 εμαστιγωσαν: 1. σ *über der Zeile* |
εποιναισαν | κατεπεξαν | 76 εγνωσαν: 1. ν *klein zwischen den Buchstaben*
nachgetragen | 77 εις: ισ *über der Zeile* | 78 επιθυμησις | παλιν *Per-*
gament beschädigt (kleine Löcher) | 80 επενειται | 82 οτι *über der Zeile* |
ωκοδομησαται

---

58 Spr 23,31d | 60 Spr 15,19a | 60 f. Spr 10,4α | 61 Koh 10,18b |
61 f. Klgl 5,13b | 65 1 Kor 3,9 | 65 f. 2 Kor 9,3 | 70 Dtn 27,18 | 72 f.
2 Kön (Sam) 19,3; Jak 4,9 | 75 Jer 5,3 | 75 f. Spr 23,35b | 76 f. Ps 7,8b |
77 Koh 7,12b | 78 Ex 20,17 | Spr 23,31a | 80 Ps 9,24a | 82 Jes 66,1

τεσσαράκοντα ἔτη ἀκούοντες τῆς φωνῆς τοῦ θ(εο)ῦ | καὶ οὐκ ἀνή-
νεγκαν αὐτῷ θυσίαν. διότι οὐκ ἐνήστευ‖σαν αὐτῷ νηστείαν ἑβδο- 85
μήκοντα ἔτη. διότι ἡ καρδία α[ὺ]|τῶν ὀπίσω τῶν μολυσμάτων αὐτῶν.
διότι οὐκ ἐσχολάσα{σ}τε | τῷ λέγοντι· σχολάσατε καὶ γνῶτε, ὅτι
ἐγώ εἰμι ὁ θ(εό)ς. καὶ ἕω[ς] | τοῦ νῦν οὐκ ἐσχόλασαν. λέγουσίν σοι·
ἄν(θρωπ)ε, ἵνα τί ἀγαπᾶτε ματαιό|τητα, ἢ ἡ καρδία ὑμῶν βεβάρηται;
καὶ γὰρ Καιν πάλιν ἠργάζετο ‖ τὴν γῆν τοῦ ἐνεγκεῖν θυσίαν τῷ 90
θ(ε)ῷ. καὶ πάλιν ᾠκοδόμησεν πό|λιν, ἀλλὰ οὐ κατὰ τὴν γνῶσιν
τὴν εὐάρεστον τῷ θ(ε)ῷ ἐποίησεν | ταῦτα πάντα. Νωε καὶ πᾶς ὁ
οἶκος αὐτοῦ ἐν πλοίῳ ἐκυβερνήθη. | Αβρααμ ἐπλήσθη πλούτου.
Ισακ κατέλιπεν εὐλογίαν τῷ Ιακωβ. | Ιακωβ ἔγνω, ὅνπερ δεῖ ἀγαπῆ-
σαι. ἔγραψεν νόμον ἐν ταῖς εὐλογία[ις] ‖ αὐτοῦ. Ιωσηφ τῷ ἑαυτοῦ 95
γένει ἐβοήθησεν, διότι γέγονεν τὴν ἁ|μαρτίαν μισῶν. ἐδήλωσεν
αὐτοῖς, ὅτι ὁ θ(εὸ)ς ἐπισκοπὴν αὐτῶν πο[ι]|ήσεται. οὕτω πάλιν
ἀπεκάλυψεν αὐτοῖς τὴν φροντίδα τῆς παιδεί[ας] | καὶ τὸ μνημόσυνον
τῆς φρονήσεως αὐτοῦ. με⟨τὰ⟩ ταῦτα ἀνέστη Μωυσ[ης], | ὃς τὴν τοῦ
βίου ἀπάτην κατέλυσεν καὶ τὸν πλοῦτον κατήσχυνε[ν], ‖ ἵνα δείξῃ ἡμῖν 100
τὸν τοῦ πλούτου τόπον καὶ τὸ τῆς σοφίας ⟨σ⟩κήνωμ[α]. | διὰ τοῦτο
ἐγένετο Ιησους προσκα⟨ρ⟩τερῶν αὐτῷ, ἐπειδὴ ἔγνω τὸ μ[έ]|γεθος
τῆς παιδείας. καὶ Χαλεβ συνέδωκεν αὐτῷ. ἄν(θρωπ)οι ἄφρονες
οὐ[κ] | ἔγνωσαν ταῦτα. διὰ τοῦτο εἶπαν τὸ φῶς σκότος. καὶ αὐτὸς
ἔδωκε[ν] | αὐτοῖς δικαιώματα ἐν αὐτοῖς πορεύεσθαι. ἐν τούτοις πᾶσιν
οὐκ εὗρον ‖ τὴν ἑαυτῶν καρδίαν οὐδ' ἐπέστρεψαν ἐν τοῖς δικαιώ- 105
μασιν αὐτοῦ | πορεύεσθαι. διότι ἕκαστος ἠσχολεῖτο εἰς τὰ[[ς]] ἑαυτοῦ
ἔργα, οὐκ εἰς τ[ὰ] | τοῦ θ(εο)ῦ. ὦ ἄν(θρωπ)ε, ἕως πότε οὐκ ἀκούεις

85 νηστιαν | 86 οπισω: σω über der Zeile | ησχολασαστε oder in
ησχολήσασθε zu verbessern? oder ἐσχόλασαν? non voluerunt vacare
lat. | 87 σχολασαται | 88 αγαπαται | 90 ενενκιν | 92 nach πας Punkt,
Rest eines radierten ι? | 94 δι (δει) | 97 παιδι[ας] | 98 nach και einzufü-
gen κατέλιπεν o. ä.? relinquens lat. | 100 διξη | 101 επιδη | 102 παιδιας |
ανοϊ: α über der Zeile | 104 πορευεσθαι: σ über der Zeile | ευρον: υ über
der Zeile | 105 εαυτων: ε über der Zeile | 106 ησχολιτο | ις (1. εις) | 1. τα
danach σ radiert

83 f. Am 5,25 | 84 f. Sach 7,5 | 85 f. Ez 33,31 | 87 Ps 45,11a |
88 f. Ps 4,3 | 89 Ex 7,14 | 89 f. Gen 4,2 f. | 90 f. Gen 4,17 | 92 Weish
10,4b | 93 Gen 13,2 | 94 Gen 37,3 | 97 Weish 6,17b | 98 Weish 10,8c |
103 Jes 5,20 | 104 f. 2 Kön (Sam) 7,27; Am 2,16

104

τὴν φωνὴν τοῦ λέγοντ[ός] | σοι· σχολάσατε καὶ γνῶτε, ὅτι ἐγώ εἰμι
ὁ θ(εό)ς; καὶ οὐκ ἐσχόλασαν, ἀλλὰ ἕκα|στος ἔτρεχεν μετὰ τῆς ἑαυτοῦ
110 ψυχῆς. οὐκ ἐπεσκέψαντο τοὺς ἀ‖σθενεῖς. ἵνα τί ἀποθνήσκετε; μὴ
ἀπέλθη⟨τε⟩ εἰς παγίδα. ταῦτα μ[νη]|μόσυνά ἐστιν δοθέντα τοῖς
πιστοῖς τοῦ πορεύεσθαι ἐν αὐτοῖς, | ἵνα ἐν ταῖς ἐντολαῖς διαπονῶνται
ποιεῖ⟨ν⟩ ἔργα τῆς ζωῆς ἄξια. τὰ πετει[νὰ] | τοῦ οὐρανοῦ οὐ σπεί-
ρουσιν οὐδὲ θερίζουσιν. ὁ θ(εὸ)ς αὐτοῖς ἔδωκεν ἁρπά[ζειν] | παρὰ
πάντων καὶ ἐσθίειν δωρεάν. ὡς ἄν(θρωπ)ος ἄδικος καὶ πονηρὸς
115 ἐπ[ι] ‖ βλέπων ἐπὶ τὰ οὐχ ἑαυτοῦ ἐν ἀδικίᾳ ἐσθίουσιν τὰ οὐκ ἑαυτῶν.
πε[ρὶ] | τούτων ἐγράφη ἡμῖν προσέχειν αὐτοῖς καὶ ἡμεῖς, ἵνα νοή-
σωμεν πάσα[ς] | τὰς παραβολὰς καὶ ἐπιγνῶμε⟨ν⟩ καὶ μὴ γινώμεθα
οὕτως ἄρπαγες καὶ [ἡ]|μεῖς, ἀλλὰ κατὰ τὴν ὁδὸν τῶν δικαίων τῶν
ἐξ ἀρχῆς εὐαρεστησά[ν]|τω⟨ν⟩ τῷ θ(ε)ῷ. τῷ γὰρ Αδαμ ἐμαχέσαντο,
120 ἐπειδὴ ἔφαγεν ἀπὸ τῆς Ευας. ‖ πρὶν γὰρ φάγῃ, ἠνέχθη πάντα πρὸς
αὐτὸν τοῦ ὀνομάσαι αὐτοῖς ὀνό|ματα καὶ ἀφορίσαι αὐτὰ κατὰ γένος.
ὅτε δὲ ἔφαγεν, ἐξεβλήθη τοῦ [πα]|ραδείσου καὶ ἠργάσατο τὴν γῆν
καὶ ἐγέννησεν τὸν Καιν καὶ τὸν Αβε[λ]. | καὶ ηὐξήθησαν καὶ ἠργάσατο
ἕκαστος, καθῶς ἐξελέξατο ἑαυτῷ. | ἡ δὲ ἐργασία τοῦ Αβελ ἐγένετο
125 ἐκλεκτὴ τῷ θ(ε)ῷ παρὰ τὴν τοῦ Καιν, ‖ διότι τὰ ἐκλεκτὰ ἑαυτοῦ
προσέφερεν τῷ θ(ε)ῷ, τὰ δὲ ἐξουθενή[ματα] | Καιν ἐδίδει τῷ θ(ε)ῷ.
ἐγένοντο σημεῖον παντὶ γένει ἀν(θρώπ)ων, ἵνα π[ᾶς] | ὁ προσφέρων τὰ
ἐκλεκτὰ ἑαυτοῦ τῷ θ(ε)ῷ γένηται ἀφο|μοιωμένος τοῖς τοῦ Αβελ ἔργοις,
130 ὁ δὲ τὰ ἐξουθενήμα[τα] | ἀναφέρων γέ‖νηται ἀφομοιωμένος τοῖς ἔργοις

108 σχολασατε: λα *über der Zeile* | **109** *oder* μετὰ ⟨τὰ⟩ τῆς ἑαυτῶν ψυ-
χῆς? cogitationes animae suae *lat.* | **110** αποθνησκεται | μη απελθη⟨τε⟩
cur ... curritis *lat.* | **111** πιστοις: ο *aus* ι *verbessert* | **112** τες (ταις) |
διαπονωνται: 2. ν *wohl klein zwischen den Buchstaben nachgetragen* |
πετει[να] *Spuren von* ει *ganz unsicher; vielleicht irreguläre Schreibung* |
113 σπιρουσιν | **116** προσεχις | ημις | **117** γινομεθα | **119** εμαχεσαντο: ν
klein zwischen den Buchstaben nachgetragen | επιδη | ευαν | **121/22** παρα-
δισου | **125** εξουθενη[ματα]: *1.* ε *über der Zeile* | **126** εδιδι | εγενεντο |
σημιον | γενι | **128** εξουθενηματα: νη *über der Zeile* | **130** αφομοιωμενος:
μοι *über der Zeile*

108 Ps 45,11a | **109** Jer 3,17; 9,13; Sir 5,2b | **109** f. Mt 25,43 |
110 Ez 18,31 | **112** f. Mt 6,26 | **116** f. Spr 1,6a | **120** f. Gen 2,20 | **121** f.
Gen 3,23

τοῦ Καιν, ἢ τῷ καταγελάσαντι | τοῦ π(ατ)ρ(ὸ)ς αὐτοῦ ἐξελθόντι καὶ
εἰπόντι τοῖς δυσὶν ἀδελφοῖς α[ὐτοῦ], | ἢ τῷ βουλευσαμένῳ οἰκοδο-
μῆσαι{ν} πύργον ἐν πεδίῳ Σεννααρ | ἐπιλαθομένῳ τοῦ κυβερνήσαντος
αὐτὸν ἐν πλοίῳ καὶ ῥυσαμ[έ]|νου αὐτὸν ἀπὸ τοῦ ὕδατος τοῦ κατακλυ-
σμοῦ, ὃς εὐλόγησεν τοὺ[ς] ‖ π(ατέ)ρας αὐτοῦ. νῦν δὲ αὐτὸς ἐξῆλθεν   135
φεύγων λέγων· δεῦτε καὶ λαξεύ|σωμεν λίθους καὶ κόψωμεν συκαμί-
νους καὶ κέδρους καὶ οἰκοδο|μήσωμε⟨ν⟩ ἑαυτοῖς πύργον ἐπιλαθό-
μενοι τοῦ πύργου τῆς Χαλανη, | ὥσπερ ὁ θ(εὸ)ς ἐκεῖ αὐτῶν διεσκόρ-
πισεν [[αὐτῶν]] τὴν γλῶσσαν, ἐπειδὴ | ἐβούλευσαν τὸ⟨ν⟩ πύργον
οἰκοδομῆσαι, ἵνα τὰς ἀνατολὰς καταλείψω‖σιν καὶ ἐπιλάθωνται   140
τοῦ νόμου τοῦ θ(εο)ῦ, οὗ ἔδωκεν αὐτῶν εἰς τὴ[ν] | καρδίαν. νῦν οὖν
νῆφε καὶ νόει [[τὴν]] ἐκδίκησιν τοῦ πύργου, ὅτ[ι] | οὐ φθάσουσιν εἰς
τὸν οὐρανόν. οὐδὲ ἀφήσουσιν λίθον ἐπὶ λίθ[ῳ] | ἐν τῷ ναῷ, ὑπὲρ
οὗ μάχονται μετὰ τοῦ Χ(ριστο)ῦ, ἐὰν μὴ καταστραφῇ. | οὐ γὰρ μὴ
παρέλθῃ ἡ γενεὰ αὕτη, ἕως αὐτῇ ἀπαντήσωσιν. νῦν οὖν κ[αι]‖ρὸς   145
τοῦ ἐργάζεσθαι τῷ κ(υρί)ῳ, ὅτι ἡ σωτηρία ἡμῶν ἐν καιρῷ θλίψ[εως]. |
ἐὰν δυνηθῶσιν ἐπιγνῶναι αὐτοῦ τὰ ἴχνη καὶ λέγειν διὰ παν|τός·
μεγαλυνθείη ὁ κ(ύριο)ς, οἱ ἀγαπῶντες τὸ σωτήριον αὐτοῦ, ἐὰν δ[υ]|-
νηθῶσιν εἰπεῖν ὅτι· ἐγὼ δὲ ἐλπιῶ ἐπὶ σὲ πάντοτε, μήποτε πι|στεύσωσιν
μόνον ἐν καιρῷ εὐφροσύνης κ(αὶ) οὐ πιστεύσουσιν ἐν [και]‖ρῷ θλί-   150
ψεως; γέγραπται γὰρ ὅτι· τὰ ἐκπορευόμενα ἐκ τοῦ στόμα|τός ⟨σ⟩ου
φυλάξῃ ποιεῖν. καὶ πάλιν ὅτι· ἐὰν εὔξῃ εὐχὴν τῷ κ(υρί)ῳ, μὴ χρο|-
νίσῃς τοῦ ἀποδοῦναι, μήποτε ἐκζητήσῃ αὐτὴν κ(ύριο)ς παρὰ σοῦ
κ(αὶ) | ἔσται σοι ἁμαρτία. εἰ δὲ λέγεις ὅτι· ἐγὼ ἐλπιῶ ἐπὶ σὲ πάντοτε,

---

132 οικοδομησεν | πυργον: ν *aus* σ *verbessert* | **133** επιλαθομενου |
135 πρας: α *klein zwischen den Buchstaben nachgetragen* | **138** εκι |
2. αυτων *durch Schrägstriche (durch* αυ *und* ω) *und übergesetzte Punkte
getilgt* | επιδη | **139** οικοδομησε | ινα: ι *über der Zeile* | **140** καταλιψωσιν |
141 νοϊ | την *wohl durch Radieren getilgt* | **142** λιθ[ω] *oder* λιθ[ον] | **143** ου
über der Zeile | μαχωνται | **144** *1.* αυτη: α *zwischen den Buchstaben
nachgetragen* | εωσαυτηαπαντησωσιν *verderbt?* donec omnia fiant (*Mt 24,34
parr*) *lat.;* αν *etwas ungewöhnlich,* ου? | **146** λεγιν | **147** μεγαλυνθιη |
153 λεγις

---

131 Gen 9,22 | **133** Weish 10,4b | **135 ff.** Jes 9,9 | **137** Jes 10,9 |
140 Jer 23,27; 1 Makk 1,49 | **142** Lk 19,44 | **144** Mk 13,30 parr |
144 f. Ps 118,126a | **145** Jer 37,9 | Jes 33,2 | **146** Ps 76,20c | **146 f.**
Ps 39,17b | **148** Ps 54,24d | **150 f.** Num 32,24; Dtn 23,24 | **153** Ps 54,24d

106

{ει} εὑρέ[θη]|τι πεποιθὼς ἐν καιρῷ θλίψεως, ἐν ᾧ ἐστιν σωτηρία.
155 καὶ μνήσθητι, ‖ ὅτι ἐγράφη σοι· ἴσθι μὴ ἐκλυόμενος, φύλαξον δὲ
ἐμὴν βουλὴν καὶ ἔννο[ιαν], | ἵνα ζήσῃ ἡ ψυχή σου. ὁ γὰρ φυλάσσων
τὴν ἐντολὴν τηρεῖ τὴν ἑαυτοῦ ψυχ[ήν]. | ἤκουσας γὰρ ἑτέρων ὁμολο-
γούντων ὅτι· ἐπεκάλυψεν ἡμᾶς σκιὰ θα|νάτου, καὶ οὐκ ἐπελαθόμεθα
τοῦ ὀνόματος κ(υρίο)υ τοῦ θ(εο)ῦ ἡμῶν ἢ διεπ[ε]|τάσα⟨με⟩ν χεῖρας
ἡμῶν πρὸς θ(εὸ)ν ἀλλότριον. λέγει δὲ πάλιν· προέφθασά[ν με] ‖
160 παγίδες θανάτου, κίνδυνοι ᾅδου ἐτάραξάν με, θλῖψιν καὶ ὀδύνη[ν] |
εὗρον. ἐν πᾶσιν τούτοις οὐκ ἀπέστη εἰς τὰ ὀπίσω ἡ καρδία ἡμῶν.
ἀ[λ]|λὰ εἶπεν· τὸ ὄνομα κ(υρίο)υ ἐπεκαλεσάμην. ἐμνήσθη καὶ ἑτέρου
γεν|ναίας καρδίας λέγοντος | ὅτι· οὐ φοβηθήσομαι ἀπὸ μυριάδων
165 λαοῦ τῶν κύκλῳ συνεπιτι‖θεμένω⟨ν⟩ μοι, ἐπειδὴ πέποιθεν ἐπὶ τὸν
θ(εό)ν. υ(ἱ)έ, μὴ παρα[ρ]|ρυῇς, παρόξυνε δὲ καὶ τὸν φίλον σου, ὃν
ἐνεγυήσω, εἰδώς, ὅ[τι] πάν|τα τὰ ἔθνη ὡς φρύγανα ἐπὶ πυρὸς ἢ
ὥσπερ φρύγανα ἐν ἐρήμῳ | ὑπὸ ἀνέμου φερόμενα ἢ ὥσπερ κονιορτός,
ὃν ὑπείλατο λαῖλα[ψ]. | μνήσθητι, ὅτι ἐγράφη σοι· μὴ ἰδὼν ἵππον
170 καὶ ἀναβάτην κ[αὶ] ‖ πλῆθος πολὺ φοβηθῇς τῇ καρδίᾳ, ἀλλὰ μνήσθητι
κ(υρίο)υ τ[οῦ θ(εο)ῦ] | τοῦ διδόντος ⟨σ⟩οι ἰσχὺν τοῦ ποιῆσαι δύναμιν,
ὃς πάντας ἀν[(θρώπ)ους] | θέλει σωθῆναι καὶ εἰς ἐπίγνωσιν ἀληθείας
ἐλθεῖν. εἰ ἤκουσα[ς] | λόγου θ(εο)ῦ, εἶπεν ὅτι· τὸν οὐρανὸν καὶ τὴν γῆν
ἐγὼ πληρῶ, οὐ [φο]|βηθήσῃ, [[ἀλλὰ ἐρεῖς]] ἀλλὰ ἐρεῖς ὅτι· ὁ θ(εὸ)ς
175 ἡμῶν ἐν τῷ οὐρανῷ ἄ[νω] ‖ καὶ ἐπὶ τῆς γῆς. καὶ οὐκ ἐροῦσι καὶ σοί·
ὀλιγόπιστε, εἰς τί ἐδίστασας; | καὶ σὺ πάλιν ἐρεῖς ὅτι· εἰ μὴ ὅτι ὁ

157 ετερων: ετε auf Rasur, ν über der Zeile | 158 κυ του auf Rasur | ἤ
oder εἰ zu lesen? So die Quelle (Ps 43,21b) und si lat. | 159 λεγι | 161 ασπε-
τη darin η klein zwischen den Buchstaben nachgetragen | 162 εμνεισθη |
162/63 γεννεας | 165 επιδη | 166 ιδως | 168 φερομενα: με über der Zeile |
υπιλατο | 172 θελι | εις: σ über der Zeile | αληθιας | ελθιν | 173 ειπεν korrekt?
Davor ὅς zu ergänzen? | 174 Klammer vor dem 1. αλλα und Punkte
über dem 1. ερεις zur Tilgung der Dittographie | 175 nach γης zu ergän-
zen κάτω? deorsum lat. | ερουσι: ερ über der Zeile | 176 σοι (συ) |

155 Spr 6,3c (Hss.!) | 155 f. Spr 3,21b–22a | 156 Spr 19,16a | 157 ff.
Ps 43,20b–21b | 159 f. Ps 17,6b | 160 f. Ps 114,3bc | 161 Ps 43,19a |
162 Ps 114,4a | 164 f. Ps 3,7 | 165 f. Spr 3,21a | 166 Spr 6,3d | 167 Jes
47,14 | 167 f. Jer 13,24 | 168 Ijob 21,18b | 170 f. Dtn 8,18 | 171 f. 1 Tim 2,4 |
173 Jer 23,24 | 174 f. Jos 2,11 | 175 Mt 14,31 | 176 f. Ps 123,2a–3a

κ(ύριο)ς ἦν ἐν ἡμῖν ἐν τῷ ἐπανα|στῆναι ἀν(θρώπ)ους ἐφ' ἡμᾶς, ἄρα
ζῶντας ἂν κατέπιον ἡμᾶς. εἰ πλ[ε]|ονάκις ἐπολέμησάν σε ἐκ νεότητός
σου, καὶ ἔκρινας ἄρα[ι]| ζυγὸν ἐπὶ σὲ ἀπὸ νεότητός σου. οἶδα γάρ,
ὅτι οὐκ ἀπέστρεψα[ς τὸν] ‖ νῶτόν σου ἀπὸ ἄρσεως, καθότι οὐκ ἐδού-   180
λευσαν αἱ χεῖρ[ες σου] | ἐν κοφίνῳ, διότι ἀγαπᾷς τὴν ἀχειροποιητὸν
περιτομὴ[ν ἐρ]|γαζομένην ἐν σεαυτῷ εἰς σωτηρίαν τῆς σῆς ψυχῆς.
κίνδυ[νός] | ἐστιν ὁ μοῦστος. |

Brief 7

Ἐπειδὴ ἤγγισεν ὁ καιρὸς τοῦ ἐλθεῖν ἡμᾶς ἐπὶ τὸ αὐτὸ κατὰ τὸ ἔθος ‖
τῆς ἀφέσεως κατὰ τὰ ὅρια τὰ ἀρχαῖα συναχθῆναι ἡμᾶς ἐπὶ τὸ α[ὐτὸ] | 185
ποιῆσαι{ν} τὴν ἄφεσιν ποιῆσαι{ν} συγχώρη[σιν, ἵνα ἕκ]αστος συγχω|-
ρήσῃ τῷ ἀδελφῷ αὐτοῦ κατὰ τὸ πρόσταγμα τοῦ θ(εο)ῦ | κατὰ τοὺς
νόμους τοὺς γεγραμμένους ἡμῖν ὑπὸ τοῦ θ(εο)ῦ, | ἵνα ἕκαστος πλη-
ροφορήσῃ τὴν καρδίαν αὐτοῦ μετὰ τοῦ ἀδελφοῦ ‖ αὐτοῦ, ἵνα εἴπωσιν   190
τὰ κρίματα αὐτῶν μετ' ἀλλήλων, ἵνα ἀπο|πλύνωσιν τὰ⟨ς⟩ ψυχὰς
ἑαυτῶν ἐν ἁγιασμῷ καὶ φόβῳ {καὶ} θ(εο)ῦ, | ἵνα μὴ γένηται ἀλλοτρίω-
σις ἐν ταῖς καρδίαις αὐτῶν, ἀλλὰ ἵν[α] | ἐπιγνῶσιν τὸ ἀληθὲς ποιεῖν
μετ' ἀλλήλων, ὅπερ ἐστὶν πρόσ|ταγμα τοῦ νόμου τοῦ θ(εο)ῦ διὰ
τὴν εἰρήνην ζητεῖν {ε}αὐτὴν κ(αὶ) ‖ ἐν αὐτῇ περιπατεῖν ἐνώπιον τοῦ   195
θ(εο)ῦ καὶ τῶν ἀν(θρώπ)ων ποιοῦντες | τὸ ἀληθὲς ἐν πᾶσιν πρὸς πάντα
ἄν(θρωπ)ον, ἵνα ἡσύχιον βίον διὰ πα[ν]|[τὸς διάγωσιν] δ[ο]υλεύοντες
τῷ θ(ε)ῷ καὶ ἀλλήλοις καὶ μὴ δ . [± 3 | ± 26 ἀπά]τῃ τῶν ὀφθαλμῶ[ν

---

177 αν: ν über der Zeile | 179 απο: απ über der Zeile | 180 αλσε-
ως | καθοτι: α über der Zeile | 181 κοφινω über ινω Rasur | αχιροποιητον |
181/82 εργαζομενην: 2. ν über der Zeile | 182 σεεναυτω Verbesserung frag-
lich | 184 επιδη | ηγγισεν | ελθιν | 184 und 185 ημας zu lesen υμας? Lat.
2. Person Plural | 186 ποιησεν (2×) | συνχωρη[σιν] | 186/87 συνχωρηση |
194 ζητιν | εαυτην Punkt zwischen ε und α | 195 περιπατιν | 197 [δια-
γωσιν] oder mit der biblischen Quelle (1 Tim 2,2) διάγωμεν | Spuren am
Zeilenschluß nicht sicher zu deuten, lassen eher an runden Buchstaben
denken (δουλεύοντες?), ein ι aber nicht ganz ausgeschlossen (διαφόροις
o. ä.?) variis lat.

---

177 f. Ps 128,1b u. 2a | 178 f. Klgl 3,27 | 179 ff. Ps 80,7 | 181 Kol
2,11 | 181 f. 2 Kor 7,10 | 189 Röm 14,5 | 194 Ps 33,15b | 196 f. 1 Tim
2,2 | 197 Gal 5,13

(Es fehlen etwa 23 Zeilen)
(Rückseite)

καλῶς ποιεῖτε τοῖς μισοῦσιν ὑμᾶς. προσεύχεσθε ὑπὲρ τῶν διωκόντων
ὑμᾶς. | βλέπετε οὖν, ὅτι ὁ πιστὸς ἄν(θρωπ)ος ὑπὸ πόσων μαρτυρίων
συγκλείεται | τοῦ μὴ ἁμαρτάνει⟨ν⟩, ἐὰν θέλῃ ὑπακούειν τοῦ νόμου
τοῦ θ(εο)ῦ καὶ κλίνειν | τὸ οὖς εἰς τὰς ἐντολὰς αὐτοῦ καὶ διανοῖξαι
5   τοὺς ὀφθαλμοὺς αὐτοῦ εἰς αὐ‖τὰς καὶ κατευθύνε⟨ι⟩ν αὐτοῦ τὴν
καρδίαν, ἵνα πρὸ ὀφθαλμῶν ἔχῃ τοῦ | ποιεῖν αὐτάς. πολλοὶ γὰρ
ἐπιθυμοῦσιν αὐτὰς ποιῆσαι καὶ κλαίουσιν τὸν θ(εὸ)ν | ζητοῦντες
καὶ στενάζουσιν νυκτὸς καὶ ἡμέρας. διὰ δὲ τὴν ἀπάτην | τῶν ὀφθαλ-
μῶν αὐτῶν καὶ τὴν τῆς σαρκὸς αὐτῶν ἀκρασίαν ἐκοιμή|θησαν ἐν
10 στεναγμῷ καὶ ὀδύνῃ καρδίας, ὅτι οὐκ ἐδυνήθησαν κυρι‖εῦσαι τῆς
ἑαυτῶν σαρκὸς καὶ τῶν τῆς καρδίας αὐτῶν θελημάτων ἐξελ|κόμενοι
εἰς ματαιότητας ἐπιθυμοῦντες τὸν νόμον τοῦ θ(εο)ῦ, ἀλλ' οὐ|κ
ἠδυνήθησαν ἐν αὐτῷ περιπατῆσαι{ν}. ἀλλὰ καὶ ἕτερά τινα κακὰ |
κρίνουσι τοῦ πορεύεσθαι ἐν αὐτοῖς. διὰ τοῦτο γεγόνασιν ἐν στενα|γμῷ
15 κατὰ τὸν τοῦ προφήτου λόγον. οἱ δὲ ἄδικοι οὕτω κλυδωνισθή‖σονται,
ἕως ἕκαστος ἐκλίπῃ ἐν τῇ ἑαυτοῦ ὁδῷ καὶ ἕκαστος ἐν ὀδύνῃ | κοιμηθῇ,
οἱ δὲ δίκαιοι ἐν εὐφροσύνῃ καὶ ἀγαλλιάσει. |

Brief 10

Οἱ οἰκονόμοι ἀσέβειαν ἐποίησαν ἐν τῇ ἑαυτῶν σπυρίδι, ἡ ῥομφαία |
τῆς ἀπωλείας αὐτῶν ὑπὸ τὴν ἀγκάλην αὐτῶν, ὅπερ ἐστὶν ὁ κῆπος. |
ἐνεδρε⟨ύ⟩ουσιν ἐν πύλαις ᾅδου αἱ εὐθηνίαι τῆς γῆς ἢ τὰ ἀγαθά,
20 ἅπερ ‖ ἔδωκεν ὁ θ(εὸ)ς τοῖς ἀν(θρώπ)οις. εἶπαν · δεῦτε καὶ ἐξεραυ-
νήσωμεν τὰς | ὁδοὺς ἡμῶν καὶ ἴδωμεν, εἰ εὑρίσκομεν ζύμην, καὶ

---

1 προσευχεσθαι | 2. υμας: μας *am Schluß über die Zeile gesetzt*
(*nicht nachgetragen*) | 2 συνκλιετε | 3 κλεινειν | 4 διανοιξε | 6 ποιησε |
κλεουσιν | 8/9 εκοιμηθη[[μην]] *Tilgung von μην durch Schrägstrich* (*durch*
μη) *und übergesetzte Punkte* | 9 οδοινη | 9/10 κυριευσε | 10 θεληματων:
των *über der Zeile* | 12 περιπατησεν | 17 ασεβιαν | 18 απωλιας

---

1 Lk 6,27 | Mt 5,44 | 8 f. Jer 51,33 | 14 f. Jes 57,20 | 16 Spr
29,6b; Ps 44,16a

ἐμβάλωμεν | αὐτὴν εἰς σταῖς μὴ ἐπαῖρον μηδὲ πληθυνόμενον, ἀλλὰ
ἐκλεῖπον | ἐν λιμῷ. ἡτοίμασαν παγίδας τοῖς ἑ{ν}αυτῶν ποσὶν καὶ
τόξον | εἰς τὰ⟨ς⟩ χεῖρας ἑαυτῶν καὶ ἀξίνη⟨ν⟩ εἰς τὸν ὦμον ἑαυτῶν.
καὶ ἦλθον ‖ ἐπ' ἄνθρωπον ἔχοντα μετὰ χεῖρας πρίονα. καὶ εἶπεν·   25
ὑπάγετε κόψαι ξύλα; | καὶ εἶπον· οὔ, ἀλλὰ ἐξεραυνῆσαι{ν} τὰς ὁδοὺς
ἡμῶν καὶ ἰδεῖν, εἰ εὑρή|σομεν ζύμην, καὶ ἐμβάλωμεν αὐτὴν εἰς ⟨σ⟩ταῖς
μὴ ἐπαῖρον μηδὲ | πληθυνόμενον, ἀλλὰ ἐκλεῖπον ἐν λιμῷ. καὶ ἐκάλεσεν
ὁ ἄν(θρωπ)ος | τοὺς ἑαυτοῦ φίλους, καὶ ἐξέδειραν ἐκείνω⟨ν⟩ τοὺς
πόδας ‖ καὶ τὰ ἄκρα τῶν χειρῶν αὐτῶν, τοῦτό ἐστιν τοὺ⟨ς⟩ δακτύλους | 30
αὐτῶν. καὶ κατερ⟨ρ⟩ύησαν εἰς τὴν γῆν, καὶ ἦλθον οἱ νεοσσοὶ τῶν |
κοράκων καὶ συνῆξαν αὐτοὺς καὶ ἐποίησαν νοσσίαν. οἱ ἔλαφοι |
ἔτεκον ἐν τοῖς τόποις αὐτῶν. ἐν τούτοις κατῳκίσθη ⟨ἡ γῆ⟩. |

BRIEF 11a

Ἀληθής ἐστιν ὁ θ(εὸ)ς ἐν πᾶσιν λέγων. ϥ
πάντες οἱ χείμαρροι πορεύονται εἰς τὴν θάλ{λ}ασσαν. ⲕ   35
ⲕ(ύριο)ς ἐπέβλεψεν ἐκ τοῦ οὐρανοῦ. ⲁ
οὐκ ἔστιν οὖν ἔτι σοφία ἐν Θαιμαν. ⲩⲧ
εὐδοκεῖ ⲕ(ύριο)ς ἐν τοῖς φοβουμένοις αὐτόν. ⲥϥⲟⲙ̄ⲗ
ἐξεγέρθⲏτι, ἵνα τί ὑπνοῖς, ⲕ(ύρι)ε; ⲧ
τῶν σοφῶν οἱ ὀφθαλμοὶ αὐτῶν εἰς κεφαλὴν αὐτῶν. ⲇ   40
ἀρ⟨ρ⟩αβών ἐστιν ἡ ὑπομονὴ τοῦ πτωχοῦ. ⲏⲑⲁⲙ
εὐφροσύνη δικαίων ποιεῖν κρίμα. ⲭⲥ
υἱὸς σοφὸς εὐφραίνει π(ατέ)ρα. ⲣⲩ
ἡ ὀδύνη τοῦ ἄφρονός ἐστιν ὁ ὑστερούμενος
παιδείας. ⲍ   45

---

22 στες | επερων | εκλιπον | 23 λειμω | 24 αξεινη | 25 υπαγεται *über
der Zeile* | κοψε | 26 εξεραυνησεν | ιδιν | 27 ειστες | 28 λειμω | 29 εξεδιραν |
30 τα: τ *über der Zeile* 33 ⟨η γη⟩ ⲡⲕⲁⲅ (*»die Erde«*) *kopt.*; terra *lat.* |
40 ⲗ *fehlt kopt. (beide Hss.) und lat.* | 45 παιδιας

---

23 Ps 56,7a | 29 f. Ri 1,6 | 31 f. Ps 146,9b | 32 Ps 103,17a.18a |
34 Röm 3,4 | 35 Koh 1,7a | 36 Ps 32,13a | 37 Jer 30,1 | 38 Ps 146,11a |
39 Ps 43,24a | 40 Koh 2,14a | 42 Spr 21,15a | 43 Spr 10,1a = 15,20a

110

ἀφελοῦ τὸ ἱμάτιον αὐτοῦ. παρῆλθεν γὰρ ὑβριστής. ψρ
καὶ ἑτέρους γὰρ ἀτιμάζει. сп
θησαυρὸς ἐπιθυμητὸς ἀναπαύσεται ἐπὶ στόματος
σοφοῦ. κιι
50 ἕως πότε ἐπιβλέπεις ἐπὶ καταφρονοῦντας καὶ παρασιω-
πήσεις; τιιλ
ἐξέλιπον οἱ ὀφθαλμοί μου ἐπὶ τὸ σωτήριόν σου. со
καὶ καρδία σοφοῦ νοήσει παραβολήν. ᴦ

---

46 το: ο *verbessert?* | **50** επιβλεπις | καταφρονουντας: *2. ν klein zwi-schen den Buchstaben nachgetragen* | **50/51** παρασιωπησις

---

46 f. Spr 27,13 | **48 f.** Spr 21,20a | **50 f.** Hab 1,13 | **52** Ps 118,123a | **53** Sir 3,29a; Spr 1,6a

DIE KOPTISCHEN FRAGMENTE UND ZITATE
DER PACHOMBRIEFE

Im folgenden Anhang sind alle koptischen Texte der Pachombriefe, einschließlich der Zitate bei koptisch schreibenden
Autoren, zusammengestellt, soweit sie zur Zeit bekannt sind.
Die Reihenfolge der Briefe — von Brief 9 an — ist die der koptischen Chester-Beatty-Handschrift, obwohl wir natürlich keine
Sicherheit darüber haben, daß uns hier die ursprüngliche Ordnung der Briefsammlung bewahrt ist.

BRIEF 1

Von Brief 1 besitzen wir je ein Zitat bei Schenute und
Horsiese. Die beiden zitierten Sätze folgen im Original unmittelbar aufeinander. Die Schenutestelle ist in zwei Handschriften
erhalten, der Text des Zitats in beiden buchstäblich überein-
stimmend. Der Passus aus der Borgia-Handschrift ist veröffentlicht bei Zoega, Catalogus, S. 468,31, und bei Amélineau, Œuvres de Schenoudi I (3) 423,9 f., der aus der Kairoer Handschrift bei Chassinat, Quatrième livre 111,42 f. Weiteres dazu
oben S. 48.

ⲭⲱ ⲉⲱ. ⲙ̅ⲡⲣ̅ⲧⲣⲉ ⲱ ⲭⲱ ⲉⲣⲟⲕ.

Der Horsiesetext ist veröffentlicht bei Lefort, Œuvres de Pachôme 67,28 f. Weiteres dazu oben S. 46 f.

ⲙⲁⲣⲉ ⲡⲁⲓⲱⲛ ⲛ̅ⲧⲟϥ ⲛ̅ⲁⲧϣⲓⲡⲉ ⲣⲁϣⲉ ⲛ̅ⲙ̅ⲙⲁⲛ. ⲙ̅ⲡⲱⲣ ⲉⲧⲣⲉⲛ-
[ⲣⲁ]ϣⲉ ⲁⲛⲟⲛ ⲙ̅ⲛ ⲡⲁⲓⲱⲛ ⲛ̅ⲁⲧϣⲓⲡⲉ.

BRIEF 3

Von Brief 3 finden wir praktisch buchstäblich einen Satz,
allerdings nicht als Zitat ausgewiesen, in einem Fragment,

dessen Zuweisung nicht sicher ist. Vgl. alles Weitere oben S. 44–46. Text bei Lefort, Œuvres de Pachôme 80,8.

ⲡⲗⲓⲃⲉ ⲛ̄ⲑⲏ ϩⲟⲟⲩ ⲉⲣⲟⲟⲩ ⲧⲏⲣⲟⲩ.

BRIEF 8

Brief 8 ist auf einem der Kölner Blätter vollständig erhalten; siehe oben S. 41. Ausgabe: Demot. u. Kopt. Texte 83 f. Übersetzung bei Quecke, Briefe Pachoms koptisch 659.

ⲉⲣⲉ ⲡⲛⲟⲩⲧⲉ ϣⲓⲛⲉ ⲛ̄ⲥⲁ ⲛⲉⲧⲙⲉ ⲙ̄ⲙⲟϥ ⲛ̄ⲑⲉ ⲉⲛⲧⲁϥϭⲛ̄ ⲡⲓⲏ̄ⲗ
ⲛ̄ⲑⲉ ⲛ̄ⲟⲩⲉⲗⲟⲟⲗⲉ ϩⲛ̄ ⲧⲉⲣⲏⲙⲟⲥ ⲛ̄ⲑⲉ ⲛ̄ⲟⲩⲥⲕⲟⲡⲟⲥ ⲛ̄ⲕⲛ̄ⲧⲉ ⲉⲁϥ-
ⲡⲱϩ ⲛ̄ϣⲟⲣⲡ̄ ϩⲛ̄ ⲟⲩⲃⲱ ⲛ̄ⲕⲛ̄ⲧⲉ ⲉⲁⲩϭⲓⲛⲉ ⲁⲗⲏⲑⲱⲥ ⲛ̄ⲓⲁⲕⲱⲃ ϩⲛ̄
ⲧⲙⲉⲥⲟⲡⲟⲧⲁⲙⲓⲁ ⲉⲧⲉ ⲡⲁⲓ ⲡⲉ ⲡⲓⲏ̄ⲗ ⲡⲉⲧⲥⲟⲣⲙ̄ ϩⲛ̄ ⲧⲉⲣⲏⲙⲟⲥ ⲛ̄ⲑⲉ
ⲛ̄ⲡⲓⲉⲗⲟⲟⲗⲉ ⲁⲩⲱ ⲓ̈ⲱⲥⲏⲫ ⲁⲩϩⲉ ⲉⲣⲟϥ ⲛ̄ⲑⲉ ⲛ̄ⲟⲩⲥⲕⲟⲡⲟⲥ ⲛ̄ⲕⲛ̄ⲧⲉ ⲉⲁϥ-
ⲡⲱϩ ⲛ̄ϣⲟⲣⲡ̄ ϩⲛ̄ ⲟⲩⲃⲱ ⲛ̄ⲕⲛ̄ⲧⲉ ⲡⲁⲓ ϭⲉ ⲉⲁ ⲡⲛⲟⲩⲧⲉ ⲣ̄ ϣⲟⲣⲡ̄ ⲛ̄ⲥⲟⲩ-
ⲱⲛϥ̄ ϩⲁ ⲑⲏ ⲛ̄ⲡⲉϥⲥⲛⲏⲩ ⲉⲧⲣⲉϥϯ ⲛⲁϥ ⲛ̄ⲟⲩⲙⲛ̄ⲧⲣⲣⲟ ϩⲛ̄ ⲡⲧⲣⲉϥϫⲱⲕ
ⲉⲃⲟⲗ ⲛ̄ⲛⲉϥⲑⲗⲓⲯⲓⲥ ϩⲛ̄ ⲧⲉⲣⲏⲙⲟⲥ ϯ ϩⲧⲏⲧⲛ̄ ϭⲉ ⲉⲡⲁⲓ ⲛ̄ⲧⲉⲉⲓⲙⲉⲓⲛⲉ
ⲡⲁⲓ ⲉⲛⲧⲁϥⲉⲡⲓⲧⲓⲙⲁ ⲙ̄ⲡⲛⲟⲃⲉ ⲉⲧϯ ⲟⲩⲃⲏϥ ⲙ̄ⲡⲉϥⲟⲩⲁϩϥ̄ ⲛ̄ⲥⲁ ⲧⲁ-
ⲡⲁⲧⲏ ⲛ̄ⲛⲉϥⲃⲁⲗ ⲙⲛ̄ ⲡⲥⲓ ⲛ̄ϩⲏ ϫⲉⲕⲁⲁⲥ ⲉϥⲁϩⲁⲣⲉϩ ⲉⲧⲉϥⲯⲩⲭⲏ
ⲉⲥⲧⲃ̄ⲃⲏⲩ ⲙ̄ⲡⲛⲟⲩⲧⲉ ϫⲉ ⲉϥⲛⲁϣⲱⲡⲉ ⲛ̄ⲣⲡⲉ ⲙ̄ⲡⲉⲡⲛ̄ⲁ ⲛ̄ϥϫⲡⲟ ⲛⲁϥ
ⲙ̄ⲡϣⲟⲩϣⲟⲩ ⲛ̄ⲧⲙⲛ̄ⲧⲣⲉϥϣⲙ̄ϣⲉ ⲛⲟⲩⲧⲉ ⲉⲛⲁⲩ ϭⲉ ϫⲉ ⲡⲛⲟⲩⲧⲉ ⲟⲃϣ̄
ⲁⲛ ⲉⲗⲁⲁⲩ ⲛ̄ⲡⲉⲧⲣ̄ ϩⲟⲧⲉ ϩⲏⲧϥ̄ ⲉϥⲉⲓⲣⲉ ⲛ̄ⲧⲇⲓⲕⲁⲓⲟⲥⲩⲛⲏ ⲛ̄ⲑⲉ ⲉⲛⲧⲁϥ-
ϫⲱⲕ ⲉⲃⲟⲗ ⲛ̄ⲛⲉϥⲑⲗⲓⲯⲓⲥ ⲙ̄ⲡⲉ ⲡⲛⲟⲩⲧⲉ ⲟⲃϣ̄ϥ̄ ⲉⲣⲟϥ ⲁⲛⲟⲛ ϭⲉ ϩⲱ-
ⲱⲛ ⲙⲁⲣⲛ̄ⲑⲁⲣⲣⲉⲓ ϩⲓⲧⲛ̄ ⲛⲁⲓ ⲉⲛⲥⲟⲟⲩⲛ ϫⲉ ⲡⲛⲟⲩⲧⲉ ϣⲟⲟⲡ ⲛ̄ⲙ̄ⲙⲁⲛ
ϩⲛ̄ ⲧⲉⲣⲏⲙⲟⲥ ⲛ̄ⲑⲉ ⲉⲧⲉ ⲛⲉϥϣⲟⲟⲡ ⲙⲛ̄ ⲓ̈ⲱⲥⲏⲫ ϩⲛ̄ ⲧⲉⲣⲏⲙⲟⲥ ⲙⲁⲣⲛ̄-
ⲕⲁ ⲛⲁⲓ ϭⲉ ⲛ̄ⲣ̄ ⲡⲙⲉⲩⲉ ϩⲛ̄ ⲡⲉⲛϩⲏⲧ ⲛ̄ⲧⲛ̄ϩ̄ⲁⲣⲉϩ ⲉⲧⲉⲛⲥⲁⲣⲝ ⲉⲥⲟⲩⲁⲁⲃ
ⲙⲛ̄ ⲧⲉⲛⲯⲩⲭⲏ ϩⲛ̄ ⲧⲉⲣⲏⲙⲟⲥ ⲛ̄ⲑⲉ ϩⲱⲱϥ ⲛ̄ⲓ̈ⲱⲥⲏⲫ ϫⲉⲕⲁⲁⲥ ⲉⲣⲉ
ⲡⲛⲟⲩⲧⲉ ⲛⲁⲣ̄ ⲡⲉⲛⲙⲉⲉⲩⲉ ⲛ̄ϥ̄ϣⲱⲡⲉ ⲛ̄ⲙ̄ⲙⲁⲛ ϣⲁⲃⲟⲗ.

BRIEF 11b

Brief 11b ist nur sehr fragmentarisch durch den Chester-Beatty-Papyrus erhalten; vgl. oben S. 42. Text bei Quecke, Neues Fragment 73 f. Im hier folgenden Abdruck sind die Lücken nicht in ihrer wirklichen Länge gegeben, sondern mit Hinweis auf die Zahl der vermutlich fehlenden Buchstaben.

ⲉⲡⲉⲓ[ⲇⲏ ± 15] ϩⲓⲱⲱⲥ ⲙⲡ[± 13] ⲉⲧⲃⲉ ⲡⲁⲓ ⲙ̄[± 13] ϩⲛ̄ ⲛⲉ-
ⲥϩⲁⲓ̈ [± 13] ⲡ̄ : ̄ⲍ : ̄ⲛϩⲟⲩⲟ [± 13] : ⲗⲟⲗ : ϯⲥⲟ[ⲟⲩⲛ ± 11] ⲙⲁⲅⲁ[ⲁⲧⲕ

± 8 ⲁⲣⲓ ⲡⲙⲉ]ⲉⲩⲉ ⲛ̄[± 17] :ⲓ̄: ⲉⲧⲁⲩ[ⲟ (?) ± 11 ϣⲁ ⲧⲉ]ⲛⲟⲩ ⲅⲁⲣ
ⲉϥⲥ[ⲏⲅ ± 10] ϫⲉ ⲛ̄ⲧⲁⲩⲥⲅ[ⲁⲓ ± 11]ⲧⲟϥ ⲉϥⲥⲏⲅ ⲅ[± 13] ⲥⲏⲅ
ⲛ̄ⲧⲉϥⲅ[± 13] ⲉⲃⲟⲗ ⲕⲁ :ⲅ̄[± 13] ⲱⲡ :ⲣ̄: ⲉⲧⲟⲟⲧ[± 12] :ⲗ̄: ⲅⲛ̄
:ⲭ̄: ⲕⲁ [± 13] ϫⲉ ⲉⲣⲉ ⲡⲉⲧⲛ̄[ⲁⲛⲟⲩϥ ⲛⲁϣⲱⲡⲉ] ⲛ̄ⲧⲉⲕⲯⲩⲭⲏ [± 13]
ϫⲉ ⲁϥⲕⲟⲧϥ̄ ⲉ[± 12 ⲉ]ⲃⲟⲗ ⲅⲛ̄ :ⲟ̄: ⲁ[ⲣⲓ ⲡⲙⲉⲉⲩⲉ ± 5] ⲛ̄ :ⲍ̄: ⲉⲧⲃⲉ
:[± 30] ⲑⲁⲣⲣⲉⲓ [± 13] . ⲉⲙⲡⲁⲧⲉ [± 13] ⲟⲛ ⲁϥⲥⲟⲩ[ⲧⲛ ⲧⲉϥϭⲓⲝ
ⲉⲃⲟⲗ ⲉ]ⲣⲟⲛ ⲅⲛ̄ ⲛⲉⲉⲓ[± 13] ⲡⲉⲛⲅⲏⲧ ⲙⲟ[ⲕⲅ ± 11] . . ⲡⲉ ϫⲉ ⲛⲉ
[± 16 ⲉ]ⲧⲃⲉ :ⲗ̄: [± 17] ⲟⲩⲁ [± 13] ⲉⲛⲁⲩ ϫⲉ ⲧ̄[ϫⲟⲟⲩ ⲙⲙⲱⲧⲛ
ⲛⲑⲉ ⲛⲅ]ⲉⲛⲉⲥⲟⲟⲩ ⲉ[ⲧⲙⲏⲧⲉ ⲛⲅⲉⲛⲟⲩⲱⲛϣ] ⲁⲛⲥⲱⲧⲙ̄ [± 12 ϫ]ⲉ ⲥⲛ̄ⲧⲉ
ⲉⲩ[ⲛⲟⲩⲧ ± 9] . ⲥⲉⲛⲁϥⲓⲧⲟⲩ.

BRIEF 10

Brief 10 ist sehr gut bezeugt, praktisch vollständig durch
eines der Kölner Blätter (siehe oben S. 41), fragmentarisch
durch den Chester-Beatty-Papyrus (siehe oben S. 42) und durch
zwei Zitate bei Schenute, die den Text etwas abwandeln (siehe
oben S. 49–51). Der folgende Text ist der des Kölner Blattes
(Demot. u. Kopt. Texte 70–72), wobei der Anfang nach der
Fassung der Haarseite gegeben ist. Die Varianten der Fleischseite wie des Chester-Beatty-Papyrus sind jeweils in den Anmerkungen zu finden. Um zu sehen, was auf dem sehr fragmentarischen Chester-Beatty-Papyrus erhalten ist, muß man
die Erstveröffentlichung (Quecke, Neues Fragment 74 f.) ein-
sehen. Das letzte Sätzchen scheint in diesem Zeugen zu fehlen.
Zur Übersetzung vgl. man Quecke, Briefe Pachoms koptisch
660 f.

ⲁ ⲛⲟⲓⲕⲟⲛⲟⲙⲟⲥ ⲉⲓⲣⲉ ⲛ̄ⲟⲩⲙⲛ̄ⲧϣⲁϥⲧⲉ ⲅⲛ̄ ⲡⲉⲩⲃⲓⲣ[1] ⲉⲣⲉ ⲧⲥⲏϥⲉ
ⲙ̄ⲡⲉⲩⲧⲁⲕⲟ ⲅⲁ ⲡⲉⲩⲧⲟⲡ[2] ⲉⲧⲉ ⲧⲉⲩⲡⲏ ⲧⲉ ⲉⲩϭⲟⲣϭ̄ ⲅⲛ̄ ⲙ̄ⲡⲩⲗⲏ
ⲛ̄ⲁⲙⲛ̄ⲧⲉ ⲉⲛⲟⲩⲃⲃⲁⲗ[3] ⲙ̄ⲡⲕⲁⲅ ⲏ ⲛⲁⲅⲁⲑⲟⲛ ⲉⲛⲧⲁ ⲡⲛⲟⲩⲧⲉ ⲧⲁⲁⲩ
ⲛ̄ⲡⲣⲱⲙⲉ ⲡⲉϫⲁⲩ ϫⲉ ⲁⲙⲏⲉⲓⲧⲛ̄ ⲛ̄ⲧⲛ̄ⲅⲟⲧⲅⲉⲧ ⲛ̄ⲡⲉⲛⲅⲓⲟⲟⲩⲉ ⲛ̄ⲧⲛ̄ⲛⲁⲩ
ϫⲉ ⲧⲛ̄ⲛⲁϭⲛ̄ ⲟⲩⲥⲓⲉⲓⲣ ⲛ̄ⲧⲛ̄ⲛⲟϫϥ̄ ⲉⲩϣⲱⲧⲉ ⲉⲙⲉϥϥⲓ ⲟⲩⲧⲉ ⲙⲉϥⲁ-
ϣⲁⲉⲓ[4] ⲁⲗⲗⲁ ⲉϣⲁϥϣϫⲛ̄ ⲅⲛ̄ ⲟⲩⲅⲉⲃⲱⲱⲛ ⲁⲩⲥⲟⲃⲧⲉ ⲛ̄ⲟⲩϭⲟⲣϭ̄ ⲥ

---

[1] Fleischseite ⲛⲟⲩ-.
[2] Fleischseite ⲛⲟⲩⲧⲁⲛ.
[3] Fleischseite ⲁⲛⲟⲩⲃⲓⲓⲗ.
[4] Fleischseite und Chester-Beatty-Pap. -ⲁϣⲁⲓ.

ⲉⲛⲉⲩⲟⲩⲉⲣⲏⲧⲉ ⲟⲩⲡⲓⲧⲉ ⲉⲛⲉⲩϭⲓⲝ ⲟⲩⲕⲉⲗⲉⲃⲓⲛ[1] ⲉⲧⲉⲩⲛⲁϩ︤ⲃ︥ ⲁⲩⲉⲓ ⲉⲝ︤ⲛ︥
ⲟⲩⲣⲱⲙⲉ ⲉⲣⲉ ⲟⲩⲃⲁϣⲟⲩⲣ ⲡ̄ⲧⲟⲟⲧ︤ϥ︥ ⲡⲉⲭⲁϥ ϫⲉ ⲉⲧⲉⲧⲛⲁⲃⲱⲕ ⲉⲡⲕⲉ-
ⲣⲉ ϣⲉ ⲡⲉⲭⲁⲩ ϫⲉ ⲙ̄ⲙⲟⲛ ⲁⲗⲗⲁ ⲉⲛⲛⲁϩⲟⲧ︤ϩ︥︤ⲧ︥ ⲡ̄ⲛⲉⲛϩⲓⲟⲟⲩⲉ ⲡ̄ⲧ̄ⲛⲛⲁⲩ
ϫⲉ ⲧ̄ⲛⲛⲁϭ︤ⲛ︥ ⲟⲩⲥⲓⲉⲓⲣ ⲡ̄ⲧ̄ⲛⲛⲟⲭ︤ϥ︥ ⲉⲩϣⲱⲧⲉ ⲉⲙⲉϥϥⲓ ⲟⲩⲧⲉ ⲉⲙⲉϥϣⲁⲉⲓ[2]
ⲁⲗⲗⲁ ⲉϣⲁϥϣⲱⲭ︤ⲛ︥ ϩ︤ⲛ︥ ⲟⲩϩⲉⲃⲱⲱⲛ ⲁ ⲡⲣⲱⲙⲉ ⲙⲟⲩⲧⲉ ⲉⲛⲉϥϣⲃⲉⲉⲣ
ⲁⲩϩⲓⲧⲉ ⲡ̄ⲛⲟⲩⲉⲣⲏⲧⲉ ⲡ̄ⲛⲉⲧⲙ̄ⲙⲁⲩ ⲙ︤ⲛ︥ ϩⲧⲏⲟⲩ ⲡ̄ⲛⲉⲩϭⲓⲝ ⲉⲧⲉ ⲛⲉⲩⲧⲏ-
ⲛⲃⲉ[3] ⲁⲩⲡⲟⲧⲡⲉⲧ ⲉⲡⲕⲁϩ ⲁⲩⲉⲓ ⲛ̄ϭⲓ ⲙ̄ⲙⲁⲥ ⲡ̄ⲁⲃⲱⲕ ⲁⲩⲥⲟⲟⲩϩⲟⲩ
ⲉϩⲟⲩⲛ ⲁⲩⲧⲁⲙⲓⲟ ⲡ̄ⲟⲩⲙⲉϩ ⲁ ⲛⲉⲉⲓⲟⲩⲗ ⲙⲓⲥⲉ ϩ︤ⲛ︥ ⲛⲉⲩⲙⲁ ⲁⲩϭⲱⲣ︤ϭ︥
ⲙ̄ⲡⲕⲁϩ ϩ︤ⲛ︥ ⲛⲁⲓ.

Die Schenutestelle mit den beiden Zitaten aus diesem Brief
ist wieder in zwei Handschriften überliefert. Der Wortlaut der
Borgia-Handschrift schon bei Zoega, Catalogus, S. 522,4–7,
dann wieder bei Amélineau, Œuvres de Schenoudi II (2) 170,
9–13. Bei Amélineau im Apparat die Varianten der Crawford-
Handschrift. In meinem Text folge ich der besseren Crawford-
Handschrift und gebe die Varianten der Borgia-Handschrift
wieder in den Anmerkungen.

ⲉⲣⲉ ⲧⲥⲛϥⲉ ⲙ̄ⲡⲉⲩⲧⲁⲕⲟ ϩⲁ[4] ⲡⲉⲩⲧⲟⲡ ⲉⲩϭⲟⲣ︤ϭ︥ ϩ︤ⲛ︥ ⲙ̄ⲡⲩⲗⲏ[5]
ⲡ̄ⲁⲙ̄ⲛ̄ⲧⲉ ... ⲛⲉⲩϣⲓⲛⲉ ⲁⲩⲱ ⲉⲩϩⲟⲧϩⲉⲧ[6] ⲉⲧⲣⲉⲩⲛⲁⲩ ϫⲉ ⲥⲉⲛⲁϭ︤ⲛ︥
ⲟⲩⲑⲁⲃ ⲛ̄ⲥⲉⲛⲟⲭ︤ϥ︥ ⲉⲟⲩϣⲱⲧⲉ[7] ⲉⲙⲉϥϥⲓ ⲟⲩⲧⲉ[8] ⲉⲙⲉϥϣⲁⲓ ⲁⲗⲗⲁ
ⲉϣⲁϥϣⲱⲭ︤ⲛ︥ ϩ︤ⲛ︥ ⲟⲩϩⲉⲃⲱⲱⲛ.

BRIEF 11a

Brief 11a ist wieder auf einem Kölner Blatt vollständig
und im Chester-Beatty-Papyrus fragmentarisch erhalten (siehe
oben S. 41 und 42). Es folgt hier wieder der Kölner Text (Demot. u. Kopt. Texte 72), wobei die Lesung und Ergänzung
des Herausgebers am Anfang berichtigt ist. Die übrigen Lücken
(alle geringen Umfangs) sind mit einer Ausnahme nicht eigens

---

[1] Chester-Beatty-Pap. ⲕⲉⲗⲉⲃⲉⲓⲛ.
[2] Chester-Beatty-Pap. -ⲁϣⲁⲓ̈.
[3] Chester-Beatty-Pap. wohl mit ⲛⲉ, wenn auch in Lücke.
[4] Borgia-Hs. ϩⲙ.
[5] Borgia-Hs. ⲙ̄ⲡⲗⲩⲧⲏ.
[6] Borgia-Hs. ⲛⲉⲩϩⲟⲧϩⲧ.
[7] Borgia-Hs. ⲁ-.
[8] Borgia-Hs. ⲟⲩⲗⲉ.

angegeben. Auch ist der übergesetzte Strich normalisiert. Die Handschriften schreiben stichisch. Da dies beibehalten werden soll, folgt der Text hier in der Zeilenanordnung dem Chester-Beatty-Papyrus (Quecke, Neues Fragment 75 f.), der längere Zeilen hat. Dessen Variante (und abweichende Schreibungen) aber wiederum in den Anmerkungen.

ⲟⲩ]ⲙⲏⲉ ⲡⲉ ⲡⲛⲟⲩⲧⲉ [ⲏⲛ] ⲏⲱⲃ ⲛⲓⲙ
  ⲉϥϫⲱ ⲙ̅ⲙⲟⲥ ϫⲉ ⲫ̅
ⲙ̅ⲙⲟⲩ ⲛ̅ⲥⲱⲣⲙ̅ ⲧⲏⲣⲟⲩ ⲉⲩⲙⲟⲟϣⲉ
  ⲉⲏⲣⲁⲓ ⲉⲧⲉⲑⲁⲗⲁⲥⲥⲁ ⲕ̅
ⲁ ⲡϫⲟⲉⲓⲥ ϭⲱϣⲧ̅ ⲉⲃⲟⲗ ⲏⲛ̅ ⲧⲡⲉ ⲁ̅
ⲙⲛ̅ ⲥⲟⲫⲓⲁ ϭⲉ ϫⲓⲛ ⲧⲉⲛⲟⲩ ⲏⲛ̅
  ⲑⲁⲓⲙⲁⲛ ⲩ̅ⲧ
ⲉⲏⲛⲉ ⲡϫⲟⲉⲓⲥ ⲏⲛ ⲛⲉⲧⲣ̅ ⲏⲟⲧⲉ
  ⲏⲏⲧϥ̅ ⲥ̅ⲫⲟⲙⲗ̅
ⲧⲱⲟⲩⲛ ⲡⲛⲟⲩⲧⲉ ⲉⲧⲃⲉ ⲟⲩ ⲉⲕⲛ̅
  ⲕⲟⲧⲕ̅ ⲧ̅
ⲛ̅ⲃⲁⲗ ⲛ̅ⲛ̅ⲥⲟⲫⲟⲥ ⲏⲛ̅ ⲧⲉⲩⲁⲡⲉ
ⲡⲁⲣⲏⲃ ⲡⲉ ⲧⲏⲩⲡⲟⲙⲟⲛⲏ ⲙ̅ⲫⲏ
  ⲕⲉ[1] ⲛ̅ⲑⲁ[ⲙ]
ⲡⲟⲩⲛⲟϥ ⲛ̅ⲛ̅ⲇⲓⲕⲁⲓⲟⲥ ⲡⲉ ⲣ̅ ⲛⲏⲁⲡ ⲭ̅ⲥ̅
ϣⲁⲣⲉ ⲟⲩϣⲏⲣⲉ ⲛ̅ⲥⲁⲃⲉ[2] ⲉⲩⲫⲣⲁ
  ⲛⲉ ⲙ̅ⲡⲉϥⲉⲓⲱⲧ ⲣ̅ⲩ
ⲡⲉⲙⲕⲁⲏ ⲛ̅ⲏⲏⲧ ⲙ̅ⲡⲁⲧⲏⲏⲧ[3] ⲡⲉ ⲡⲉⲧ
  ϣⲁⲁⲧ ⲛ̅ⲥⲃⲱ ⲍ̅
ϭⲓ ⲧⲉⲕϣⲧⲏⲛ ⲁ ⲡⲣⲉϥⲥⲱϣ ⲅⲁⲣ
  ⲥⲁⲁⲧⲕ̅ ⲯ̅ⲣ
ⲉϥⲥⲱϣ ⲅⲁⲣ ⲛ̅ⲏⲉⲛⲕⲟⲟⲩⲉ ⲥⲛ̅
ⲟⲩⲛ̅ ⲟⲩⲁⲏⲟ ⲉϥⲥⲟⲧⲛ̅ ⲛⲁϣⲱ
ⲡⲉ ⲏⲓⲣⲛ̅ ⲧⲧⲁⲡⲣⲟ ⲙ̅ⲛ̅ⲥⲟⲫⲟⲥ ⲕ̅ⲙ
ϣⲁⲧⲛ̅ ⲛⲁⲩ ⲉⲕϭⲱϣⲧ̅ ⲉϫⲛ̅
ⲛⲉⲧⲕⲁⲧⲁⲫⲣⲟⲛⲉⲓ ⲉⲕⲕⲱ ⲛ̅ⲣⲱⲕ
  ⲧⲙⲗ̅

[1] Chester-Beatty-Pap. ⲙ̅ⲛ̅ⲏⲏ[ⲕⲉ.
[2] Chester-Beatty-Pap. ⲛ̅ⲥ]ⲟⲫⲟⲥ.
[3] Chester-Beatty-Pap. ⲙ̅ⲛ̅]ⲁⲑⲏⲧ.

ⲁ ⲡⲁⲃⲁⲗ ⲥⲱϣⲙ̄ ⲛ̄ⲥⲁ ⲡⲉⲕⲟⲩ
ⲭⲁ̈ⲓ ⲥ̄ⲟ̄
ⲡⲉϩⲏⲧ¹ ⲙ̄ⲡⲥⲁⲃⲉ ϣⲁϥⲙⲉⲉⲩⲉ
ⲉϩⲉⲛⲡⲁⲣⲁⲃⲟⲗⲏ ⲅ̄

Das Buchstabenquadrat

Im Chester-Beatty-Fragment (Quecke, Neues Fragment 76) folgt an dieser Stelle das Buchstabenquadrat, wozu man oben S. 24–26 vergleiche.

```
ⲁ ⲏ ⲓ ⲛ ⲍ ⲟ [ⲣ ⲧ
ⲏ ⲓ ⲛ ⲍ ⲟ ⲣ [ⲧ ⲁ
ⲓ ⲛ ⲍ ⲟ ⲣ ⲧ ⲁ [ⲏ
ⲛ ⲍ ⲟ ⲣ ⲧ ⲁ ⲏ [ⲓ
ⲍ ⲟ ⲣ ⲧ ⲁ ⲏ ⲓ [ⲛ
ⲟ ⲣ ⲧ ⲁ ⲏ ⲓ ⲛ [ⲍ
ⲣ ⲧ ⲁ ⲏ ⲓ ⲛ [ⲍ ⲟ
ⲧ ⲁ ⲏ ⲓ ⲛ ⲍ [ⲟ ⲣ
```

Brief 9a

Von Brief 9a und 9b besitzen wir nur den sehr fragmentarischen Text der Chester-Beatty-Handschrift (vgl. oben S. 42). Beide Briefe sind im Original stichisch geschrieben, und das soll auch hier beibehalten werden. Wichtig sind hier auch die »Buchstaben« der »Geheimschrift«, die, soweit sie in der koptischen Handschrift verloren sind, nach der lateinischen Übersetzung ergänzt sind. Die erhaltenen koptischen »Buchstaben« geben aber weithin die Möglichkeit, unter den Varianten der lateinischen Überlieferung die richtige Lesart auszuwählen. Man vergleiche oben S. 22 f., wo auch die »Buchstaben« für sich übersichtlich zusammengestellt sind. Zur Erstausgabe von Brief 9a (Quecke, Neues Fragment 76 f.) sind folgende Berichtigungen zu beachten: Die Zeichen der 1. Zeile von Seite 6 (= Anfang von Brief 9a) hätten um vier Buchstabenbreiten weiter nach rechts gesetzt werden sollen. Bei den »Buchstaben« ist das ⲡ (statt ⲟ) am Schluß von Brief 9a ein banaler Druck-

---

¹ Chester-Beatty-Pap. ⲡⲉϩⲏⲧ.

fehler. Das ⲅⲉⲩ am Anfang von Vers 5 ist dagegen eine irr-
tümliche Annahme von mir. Von dem im lateinischen Text
zwischen Vers 4 und 5 stehenden OYEY gehört nur EY zu
Vers 5. Die älteren Ausgaben — und damit vermutlich die
Handschriften — setzen den Punkt entsprechend. Und das
OY der lateinischen Übersetzung (am Ende von Vers 4) muß
für griechisch-koptisches ⲟ stehen, vielleicht noch als der äl-
tere Name dieses Buchstabens. Analog zu diesem Verfahren
in der Wiedergabe des griechischen ⲟ steht in der lateinischen
Übersetzung von Brief 1 und 2 U (77,12; 78,1.15.17; 79,1 Boon)
für ⲟ des griechischen Textes (Z. 4, 11, 22, 24 und 26).

ⲁⲱ :   ] . ⲡⲟ
              ⲉⲧⲉ : ⲁ̄ :]
ⲃ̄ⲯ̄ :   ] ⲉⲃⲟⲗ ⲥⲛ ⲛⲉ
         ⲥⲡⲟⲧⲟⲩ ⲉⲧⲉ :]ⲧ̄ :
ⲓ̄ⳉ : ⲁ ⲡⲛⲟⲩⲧⲉ ⲧⲣⲁⲣ] ⲡⲱⲃ̄ⲱ̄ ⲛ̄ⲧⲁ
                        ] . . . . ⲛ
                            ]ⲩ : ⲣ̄ :
ⲁ̄ⳡ :   ] ⲙ̄ⲛ̄
              ] . . . ⲉⲧⲉ : ⲟ̄ :
ⲉ̄ⲩ : ⲁⲩⲥⲱⲧⲙ ⲛ̄ϭⲓ ⲛ̄ⲧ]ⲟⲩⲉⲓⲏ ⲉⲡⲟⲩ
         ⲛⲟϥ ⲙ̄ⲡⲕⲁⲥ ⲉⲧ]ⲉ : ⲍ̄ :
ⲍ̄ⲧ̄ :   ⲛ]ⲟⲩⲉⲱ̄ⲛ̄ ⲁⲥⲟⲩ
              ⲉⲧⲉ : ⲛ̄ :]
ⲏ̄ⲥ̄ :   ⲉ]ⳉ̄ⲛ̄ ⲛⲁⲃⲁⲗ ϣⲁ
                      ] ⲉⲧⲉ : ⲓ̄ :
ⲑ̄ⲣ̄ :   ] ⲉⳉ̄ⲙ̄ ⲡⲕⲁⲥ
         ⲉⲧⲉ : ⲏ̄] :
ⲓ̄ⲡ̄ : ⲁⲩⲥⲱ ⲛ̄ϭⲓ ⲛⲉⲧⲥ]ⲏⲡ ⲥ̄ⲛ̄ ⲟⲩⲟⲩ
         ⲛⲟϥ ⲉⲧⲉ : ⲓ̄ :   ]
ⲕ̄ⲟ̄ : ⲁⲩϣⲱⲡⲉ ⲛ̄ϭⲓ ⲛ]ϣⲟⲗⲥ̄ ⲙ̄ⲡⲕⲁⲥ
         ⲛⲟⲩⲉⲱⲛ ⲥⲛⲟϥ] ⲉⲧⲉ : ⲛ̄ :
ⲗ̄ⲍ̄ : [
         . [ⲉⲧⲉ : ⲍ̄ :
ⲙ̄ⲛ̄ : ⲁⲩⲡ[ⲱⲧ ⲉⲃⲟⲗ ⲛ̄ϭⲓ ⲛⲉⲧⲥⲏⲡ ⲁ
         ⳉ̄ⲛ̄ ⲥⲟ[ⲧⲉ ⲉⲧⲉ : ⲟ̄ :

118

Brief 9b

Auch Brief 9b (Quecke, Neues Fragment 77) ist nur fragmentarisch in der Chester-Beatty-Handschrift erhalten (vgl. oben S. 42). Die »Buchstaben« sind wiederum nach der lateinischen Übersetzung ergänzt, wo sie in der koptischen Handschrift verloren sind; vgl. auch wieder oben S. 22 f.

A͞W̄ : ⲛⲓⲙ [

ⲕⲧⲟϥ ⲛ͞ϥ͞ⲣ [ⲅⲧⲏϥ ⲛϭⲓ ⲡⲛⲟⲩⲧⲉ : T̄ :

B͞Ψ̄ : ⲙⲁⲣⲉ [ⲙⲡⲏⲩⲉ ⲟⲩⲛⲟϥ ⲛⲧⲉ

ⲡⲕⲁⲅ ⲧⲉⲗ[ⲏⲗ : Ⲑ̄ :

Ⲅ͞Ⲭ̄ : ⲉⲣⲉ ⲁ[ⲁⲛ ϭⲱϣⲧ ⲉⲃⲟⲗ ⲅⲏⲧϥ

M͞ⲡⲟⲩⲭⲁ[ⲓ ⲙⲡⲛⲟⲩⲧⲉ : Ō :

Ⲁ͞Ⲫ̄ : ⲉⲣⲉ ⲟⲩ[ϣⲱ

ⲡⲉ ⲉⲃⲟⲗ ⲅ͞ⲛ [ⲛⲁⲍⲁⲣⲉⲑ : B͞ⲓ :

Ⲉ͞Ⲩ̄ : ϥⲥⲙⲁ[ⲙⲁⲁⲧ ⲛϭⲓ ⲡⲛⲟⲩⲧⲉ

ⲭⲉ ⲁϥϯ ⲅⲣⲉ [ⲛⲛⲉⲧⲣ ⲅⲟⲧⲉ ⲅⲏ

ⲧϥ̄ : M͞ⲕ : [

Ⲍ͞Ⲧ̄ : ⲁ ⲡⲕⲁⲣ[ⲡⲟⲥ ⲛⲧⲁⲧⲁⲡⲣⲟ

ⲅⲗⲟϭ ⲅ͞ⲛ ⲛⲁ[ⲥⲡⲟⲧⲟⲩ : Ī :

H͞C̄ : ⲁϥⲧⲥⲓⲉ [ⲛⲉⲧⲅⲕⲁⲉⲓⲧ ⲛⲁⲅⲁ

ⲑⲟⲛ ⲉⲧⲉ : H̄[

Ⲑ͞Ⲣ̄ : N̄ϯⲛⲁ[ⲙⲟⲩ ⲁⲛ ⲁⲗⲗⲁ ϯⲛⲁ

ⲱⲛⲅ ⲧⲁⲭⲱ ⲛⲛⲉⲅⲃⲏⲩⲉ ⲙ]ⲡⲭⲟ

ⲉⲓⲥ : N̄ :]

N̄ : ⲡⲉⲧⲛⲁⲃⲱⲕ ⲉⲅⲟⲩ]ⲛ ⲅⲓⲧⲟⲟⲧ

ϥⲛⲁⲟⲩⲭⲁⲓ : Ī :]

K͞Ō : ⲭⲉ ⲙ͞ⲡ]ⲭⲟⲉⲓⲥ ϣⲟ

ⲟⲡ ⲡⲉϥⲗⲁⲟ]ⲥ ⲗⲁⲙⲁ

ⲥⲕⲟⲥ]ⲛ : Ō :

Ⲗ͞Ⲍ̄ : ⲁ ⲡⲛⲟⲩⲧⲉ ⲛⲁ ⲙ]ⲡⲓⲏ͞ⲗ ⲁⲩⲱ

ⲛⲉⲧⲑⲃⲃⲓⲏⲟⲩ ⲙⲡⲉ]ϥⲗⲁⲟⲥ

ⲁϥⲡⲁⲣⲁⲕⲁⲗⲉⲓ ⲙ]ⲙⲟⲟⲩ : M̄ :

M͞N̄ : ⲛⲁⲛⲟⲩ ⲟⲩⲙⲟ]ⲟⲩ ⲉϥⲕⲏⲃ N̄

ⲟⲩⲯⲩⲭⲏ ⲉⲥⲟⲃ]ⲉ ⲁⲩⲱ ⲟⲩⲱ

ⲉⲡⲁⲛⲟⲩϥ ⲙ̄ⲡⲟ]ⲩⲉ : Ⲑ͞Ⲣ̄ :

TEXTUS PATRISTICI ET LITURGICI
quos edidit Institutum Liturgicum Ratisbonense

Bisher sind erschienen:

Fasc. 1

Niceta von Remesiana, Instructio ad Competentes. Frühchristliche Katechesen aus Dacien. Herausgegeben von KLAUS GAMBER.

VIII + 182 Seiten. 1964.   Ganzleinen DM 24.—

Fasc. 2

Weitere Sermonen ad Competentes. Teil I.
Herausgegeben von KLAUS GAMBER.

136 Seiten. 1965.   Ganzleinen DM 20.—

Fasc. 3

Ordo antiquus Gallicanus. Der gallikanische Meßritus des 6. Jahrhunderts. Herausgegeben von KLAUS GAMBER.

63 Seiten. 1965.   Ganzleinen DM 10.—

Fasc. 4

Sacramentarium Gregorianum I. Das Stationsmeßbuch des Papstes Gregor. Herausgegeben von KLAUS GAMBER.

160 Seiten. 1966.   Ganzleinen DM 22.—

Fasc. 5

Weitere Sermonen ad Competentes. Teil II.
Herausgegeben von KLAUS GAMBER.

120 Seiten. 1966.   Ganzleinen DM 20.—

Fasc. 6

Sacramentarium Gregorianum II. Appendix, Sonntags- und Votivmessen. Herausgegeben von KLAUS GAMBER.

80 Seiten. 1967.   Ganzleinen DM 16.—

Fasc. 7

Niceta von Remesiana, De lapsu Susannae. Herausgegeben von KLAUS GAMBER. Mit einer Wortkonkordanz zu den Schriften des Niceta von SIEGHILD REHLE.

139 Seiten. 1969.   Ganzleinen DM 24.—

Fasc. 8:

Sacramentarium Arnonis. Die Fragmente des Salzburger Exemplars. In beratender Verbindung mit KLAUS GAMBER untersucht und herausgegeben von SIEGHILD REHLE.
114 Seiten. 1970   Ganzleinen DM 22.—

Fasc. 9:

Missale Beneventanum von Canoso. Herausgegeben von S. REHLE.
194 Seiten. 1972   Ganzleinen DM 28.—

Fasc. 10

Sacramentarium Gelasianum mixtum von Saint-Amand. Herausgegeben von SIEGHILD REHLE
142 Seiten. 1973   Ganzleinen DM 30.—

STUDIA PATRISTICA ET LITURGICA
Fasc. 1

Die Autorschaft von De sacramentis. Zugleich ein Beitrag zur Liturgiegeschichte der römischen Provinz Dacia mediterranea von KLAUS GAMBER.
152 Seiten. 1967   Ganzleinen DM 24.—

Fasc. 2

Domus ecclesiae. Die ältesten Kirchenbauten Aquilejas sowie im Alpen- und Donaugebiet bis zum Beginn des 5. Jh. liturgiegeschichtlich untersucht von KLAUS GAMBER.
103 Seiten. 1968   Ganzleinen DM 21.—

Fasc. 3

Missa Romensis. Beiträge zur frühen römischen Liturgie und zu den Anfängen des Missale Romanum von KLAUS GAMBER.
209 Seiten. 1970   Ganzleinen DM 32.—

Fasc. 4

Ritus modernus. Gesammelte Aufsätze zur Liturgiereform von KLAUS GAMBER.
73 Seiten. 1972   brosch. DM 6.—   Ganzleinen DM 12.—

VERLAG FRIEDRICH PUSTET REGENSBURG